NIVEAU DÉBUTANT

GRAMMAIRE

Le nouvel Entraînez-vous

avec

450 NOUVEAUX EXERCICES

Évelyne SIREJOLS
Giovanna TEMPESTA

Édition : Martine Ollivier

Couverture : JSM

Maquette, réalisation PAO : Frédéric Bellay

ISBN : 209 033 833-4

Avant-propos

Ce cahier s'adresse à un **public de débutants/faux débutants** en français ; il a pour objectif **le réemploi et l'ancrage de structures grammaticales** préalablement étudiées : les exercices proposés doivent permettre à l'apprenant de fixer ses acquisitions par le maniement des formes syntaxiques. Complément des méthodes, il offre un véritable entraînement grammatical.

Les quinze chapitres de cet ouvrage, introduits par un proverbe ou un dicton, couvrent les faits de langue les plus fréquemment étudiés en début d'apprentissage, avec une organisation semblable à celle des méthodes actuelles qui mettent en relation besoins langagiers de la communication quotidienne et progression grammaticale.

Conçus pour des étudiants de 1re et 2e année, les exercices sont **faciles d'accès** ; les énoncés sont brefs, sans pour autant être éloignés des réalisations langagières authentiques : les auteurs se sont inspirés de situations de communication réelles et ont pris soin d'introduire des éléments de civilisation française contemporaine.

Les exercices sont présentés de **façon claire**, accompagnés d'exemples, évitant ainsi l'introduction d'un métalangage avec lequel l'apprenant est peu familiarisé. Les exercices, composés de huit phrases chacun, sont classés dans un même chapitre du plus simple au plus élaboré.

Chaque aspect grammatical est présenté à travers une **variété d'exercices** à difficulté progressive ; **leur typologie est connue des apprenants** : exercices à trous, exercices à choix multiple, exercices de transformation et de mise en relation.

Un bilan, plus souple dans sa présentation que les exercices, termine chaque thème, mettant en scène les différents aspects grammaticaux étudiés dans le chapitre. Il permet d'évaluer le degré d'acquisition de la difficulté grammaticale abordée et, si nécessaire, de retravailler les points encore mal acquis.

La conception pédagogique de chaque activité veut amener l'apprenant **à réfléchir sur chaque énoncé,** tant du point de vue syntaxique que du point de vue sémantique. Les exercices dont les réponses sont nécessairement dirigées n'impliquent pas pour autant un travail automatique sans réflexion sur les faits de langue étudiés.

Quant aux temps des verbes, dont la maîtrise est souvent difficile, ce n'est pas seulement leur formation qui importe mais aussi leur **emploi** et leur **valeur.**

Afin de faciliter **l'entraînement des apprenants autonomes,** chaque exercice trouve sa correction, ou les différentes formes acceptables, dans le livret *Corrigés,* placé à l'intérieur de l'ouvrage ; le professeur ou l'élève peut ainsi décider de le retirer ou de le conserver dès le début de l'apprentissage.

L'index devrait également faciliter l'utilisation de ce cahier ; grâce aux multiples renvois à l'intérieur des chapitres, il permet d'avoir accès à une difficulté grammaticale particulière ne figurant pas dans le sommaire.

Ce cahier devrait ainsi apporter à l'étudiant une plus grande maîtrise de la langue en lui donnant l'occasion d'affiner sa compétence linguistique... et par là même sa compétence de communication en français.

Sommaire

I. LE GENRE ET LE NOMBRE

Petite pluie abat grand vent.

A. LE NOM

1 Soulignez les noms masculins de cette liste.

Exemples : été moment mer

a. plage
b. campagne
c. départ
d. voyage
e. arrivée
f. week-end
g. montagne
h. train

2 Masculin ou féminin ? (notez M ou F).

Exemples : minute (F) an (M) siècle (M)

a. saison ( )
b. automne ( )
c. période ( )
d. temps ( )
e. printemps ( )
f. heure ( )
g. instant ( )
h. année ( )

3 Soulignez les noms féminins.

Exemples : mensuel article publicité

a. journal
b. télévision
c. revue
d. chaîne
e. station
f. magazine
g. radio
h. information

4 Masculin ou féminin ? (notez M ou F).

Exemples : livre (M) cahier (M) dictée (F)

a. image ( )
b. classe ( )
c. âge ( )
d. école ( )
e. langue ( )
f. dictionnaire ( )
g. feuille ( )
h. stylo ( )

5 Retrouvez les titres des chansons de Charles Trenet. Rayez ce qui ne convient pas.

Exemple : ~~Le~~/La romance de Paris

a. Le/La famille musicienne
b. Le/La jardin extraordinaire
c. Le/La soleil et le/la lune
d. Le/La serpent python
e. Le/La mer
f. Le/La java du diable
g. Le/La maison du poète
h. Le/La route enchantée

6 Cochez les noms de pays masculins.

Exemples : ☒ Mexique ☐ Pologne ☐ Irlande

a. ☐ Italie ☐ Grèce ☒ Argentine
b. ☐ Turquie ☒ Mozambique ☐ Syrie
c. ☒ Zaïre ☐ Égypte ☐ Suisse
d. ☒ Corée ☐ Norvège ☐ Belgique
e. ☐ Thaïlande ☐ Finlande ☐ France
f. ☐ Autriche ☒ Cambodge ☐ Angleterre
g. ☐ Espagne ☐ Suède ☒ Russie
h. ☐ Allemagne ☐ Algérie ☐ Bolivie

7 Parmi les trois pays, entourez celui qui est masculin.

Exemples : (Mali) Australie Argentine

a. (Brésil) – Hollande – Bulgarie
b. Inde – (Pérou) – Roumanie
c. (Iran) – Tunisie – Somalie
d. (Chili) – Islande – Jordanie
e. (Portugal) – Chine – Irlande
f. Colombie – Indonésie – (Japon)
g. Arabie Saoudite – (Équateur) – Hongrie
h. Libye – Turquie – (Danemark)

8 Retrouvez les féminins de ces professions.

Exemple : crémier → ***crémière***

a. comédien → comédienne
b. boulanger → boulangère
c. pharmacien → pharmacienne
d. cuisinier → cuisinière
e. ouvrier → ouvrière
f. jardinier → jardinière
g. musicien → musicienne
h. informaticien → informaticienne

9 Écrivez ces phrases au masculin.

Exemples : Elle est agricultrice. → ***Il est agriculteur.*** Elle est vendeuse. → ***Il est vendeur.***

a. Elle est serveuse. → ....
b. Elle est restauratrice. → ....
c. Elle est présentatrice. → ....
d. Elle est danseuse. → ....
e. Elle est inspectrice. → ....
f. Elle est directrice. → ....
g. Elle est actrice. → ....
h. Elle est coiffeuse. → ....

10 Rayez le prénom inutile.

Exemple : ~~Laurent~~/Laurence est chanteuse.

a. Michel/Michèle est parfumeur.
b. Christian/Christiane est aviatrice.
c. Louis/Louise est coureuse.
d. Pascal/Pascale est décorateur.
e. Denis/Denise est ambassadrice.
f. Jean/Jeanne est patineuse.
g. Gaël/Gaëlle est traductrice.
h. François/Françoise est imprimeur.

11 Mettez au masculin ou au féminin.

Exemple : Patricia est étudiante, Paul aussi est ***étudiant***.

a. Marc est commerçant, Marie aussi est ....
b. Catherine est avocate, Éric aussi est ....
c. Pierre est employé de bureau, Elisabeth aussi est ....
d. Thomas est représentant, Sophie aussi est ....
e. Évelyne est marchande de fruits, Jacques aussi est ....
f. Patrick est enseignant, Anne aussi est ....
g. Christine est négociante, Philippe aussi est ....
h. Sylvie est laborantine, Julien aussi est ....

12 Parmi ces mots, soulignez ceux qui s'emploient à la fois au masculin et au féminin.

Exemples : archéologue journaliste caissier

a. vétérinaire
b. historien
c. guide
d. libraire
e. pâtissier
f. mécanicien
g. secrétaire
h. dentiste
i. fleuriste
j. architecte
k. magicien
l. banquier
m. scientifique
n. pianiste
o. photographe
p. fromager

13 Mettez au féminin ces professions lorsque c'est possible.

Exemple : écrivain sympathique → ***C'est un écrivain sympathique.***

a. boucher timide → ....
b. auteur belge → ....
c. fermier énergique → ....
d. professeur sévère → ....
e. peintre médiocre → ....
f. animateur dynamique → ....
g. médecin antipathique → ....
h. technicien formidable → ....

14 Répondez selon le modèle.

Exemple : Tu connais les États-Unis ? → Non, mais je connais ***un Américain*** et ***une Américaine.***

a. Tu connais les Pays-Bas ? ....
b. Tu connais la Chine ? ....
c. Tu connais la Belgique ? ....
d. Tu connais l'Espagne ? ....
e. Tu connais l'Australie ? ....
f. Tu connais la Suisse ? ....
g. Tu connais la Corée ? ....
h. Tu connais la France ? ....

15 Selon le cas, mettez le nom au masculin ou au féminin.

Exemple : un châtelain → ***une châtelaine***

a. un cousin → . . . .

b. une hôtesse → . . . .

c. un roi →. . . . .

d. un chat → . . . .

e. une épouse → . . . .

f. un baron → . . . .

g. une juive → . . . .

h. un captif → . . . .

16 Masculin ou féminin ?

Exemple : une comtesse → ***un comte***

a. une gamine → . . . .

b. un paysan → . . . .

c. un héros → . . . .

d. un tigre → . . . .

e. un veuf → . . . .

f. une fugitive →. . . . .

g. un jumeau → . . . .

h. une amie →. . . . .

17 Soulignez les noms qui s'emploient toujours ou souvent au pluriel.

Exemples : les enfants les mœurs les informations

a. les vacances

b. les pieds

c. les toilettes

d. les gens

e. les vêtements

f. les fiançailles

g. les ciseaux

h. les funérailles

18 Rayez ce qui ne convient pas et retrouvez les titres de ces films français.

Exemple : Les ~~parapluie~~/parapluies de Cherbourg. *(Jacques Demy)*

a. La femme/femmes d'à côté. *(François Truffaut)*

b. La mariée/mariées était en noir. *(François Truffaut)*

c. Les visiteur/visiteurs du soir. *(Marcel Carné)*

d. Les vacance/vacances de Monsieur Hulot. *(Jacques Tati)*

e. Les enfant/enfants du paradis. *(Marcel Carné)*

f. Les bronzé/bronzés font du ski. *(Patrice Leconte)*

g. Le mari/maris de la coiffeuse/coiffeuses. *(Patrice Leconte)*

h. Les demoiselle/demoiselles de Rochefort. *(Jacques Demy)*

19 Retrouvez les lieux touristiques parisiens.

1. Le
2. La → a.
3. L'
4. Les

a. tour Eiffel

b. Champs-Élysées

c. Moulin-Rouge

d. Folies-Bergère

e. Pyramide du Louvre

f. Arc de triomphe

g. Galeries Lafayette

h. Arche de la Défense

20 Écrivez ces noms au pluriel.

Exemples : un lieu → ***des lieux*** un pneu → ***des pneus***

a. un taureau → . . . .
b. un cheveu → . . . .
c. un bleu → . . . .
d. une eau → . . . .
e. un jumeau → . . . .
f. un feu → . . . .
g. un carreau → . . . .
h. un jeu → . . . .

21 Trouvez le pluriel de ces noms.

Exemples : un caillou → ***des cailloux*** un sou → ***des sous***

a. un genou → . . . .
b. un cou → . . . .
c. un bijou → . . . .
d. un clou → . . . .
e. un chou → . . . .
f. un fou → . . . .
g. un hibou → . . . .
h. un trou → . . . .

22 Retrouvez le singulier de ces noms.

Exemples : des animaux → ***un animal*** des gâteaux → ***un gâteau***

a. des bateaux → . . . .
b. des journaux → . . . .
c. des châteaux → . . . .
d. des travaux → . . . .
e. des chevaux → . . . .
f. des coraux → . . . .
g. des tableaux → . . . .
h. des vitraux → . . . .

23 Accordez les noms entre parenthèses.

Exemple : Tu achètes des ***bocaux*** (bocal) de cerises ?

a. Il y a des . . . . (festival) de jazz dans le Sud ?
b. Elle ne connaît pas les . . . . (hôpital) de la région.
c. Ils dansent dans tous les . . . . (bal) du quartier.
d. J'aime beaucoup les . . . . (animal).
e. Pierre préfère les . . . . (carnaval) d'Amérique latine.
f. J'ai des . . . . (mal) d'estomac.
g. Sylvie donne des . . . . (récital) dans toute la France.
h. Monsieur Renaud a des . . . . (capital) dans une banque suisse.

24 Soulignez dans cette liste les noms qui restent identiques au singulier ou au pluriel.

Exemples : <u>mois</u> – <u>voix</u> – zoos

a. souris – stylos – sacs
b. riz – croix – roux
c. nez – pays – mains
d. lits – ours – rues
e. noix – prix – lois
f. os – rois – français
g. poids – livres – sœurs
h. chinois – places – étudiants

25 Écrivez le pluriel de ces noms et lisez-les à haute voix.

Exemples : aïeul → ***aïeux*** ciel → ***cieux***

a. œil → ....
b. mademoiselle → ....
c. monsieur → ....
d. madame → ....
e. gentilhomme → ....
f. œuf → ....
g. bonhomme → ....
h. bœuf → ....

26 Écrivez les noms entre parenthèses au pluriel.

Exemple : Achète des ***fruits*** ! (fruit)

a. Les voisins ont trois .... (animal).
b. Dominique aime les .... (jeu) de cartes.
c. Elle a mal aux .... (œil).
d. Les enfants adorent les .... (carnaval).
e. Évelyne fait des .... (travail) chez elle.
f. Je prends deux .... (autobus) pour aller au bureau.
g. Mon père n'aime pas les .... (oiseau).
h. Il y a quatre .... (chambre) dans mon appartement.

B. Les pronoms sujets

27 Soulignez le pronom correct.

Exemple : J'/Je/<u>Tu</u> cherches un appartement à Marseille ?

a. J'/Je/Tu habite à l'hôtel Rive gauche ?
b. J'/Je/Tu vais à la gare Saint-Lazare.
c. J'/Je/Tu étudie l'italien à l'université.
d. J'/Je/Tu reste à la maison aujourd'hui.
e. J'/Je/Tu manges au restaurant demain ?
f. J'/Je/Tu habites dans une famille française ?
g. J'/Je/Tu passe chez Paule ce soir.
h. J'/Je/Tu es au 30 rue du paradis ?

28 Rayez le verbe à la forme incorrecte.

Exemple : Tu ~~travaille~~/travailles dans cet immeuble ?

a. Tu visite/visites une chambre boulevard Saint-Germain ?
b. J'habite/habites dans le 12e arrondissement.
c. Tu vais/vas sur les Champs-Élysées.
d. Je dîne/dînes chez moi.
e. J'adore/adores ce quartier.
f. Tu loge/loges dans un hôtel.
g. J'ai/as un appartement en banlieue.
h. Je suis/es au septième étage.

29 **Complétez par** *il* **ou** *elle.*

Exemple : ***Elle*** s'appelle Giovanna ? – Oui, ***elle*** est italienne.

a. . . . . voyage en avion ? – Bien sûr, ... est aviateur.

b. . . . . est dentiste ? – Non, ... est infirmière.

c. . . . . parle français ? – Non, ... est américaine.

d. . . . . est russe ? – Oui, ... s'appelle Olga.

e. . . . . est professeur d'anglais ? – Oui, ... est anglaise.

f. . . . . déteste la ville, ... est agricultrice.

g. . . . . aime le café ? – Bien sûr, ... est colombien.

h. . . . . fait du sport, ... est nageur.

30 **Cochez la ou les réponse(s) possible(s).**

Exemple : **Elles** regardent la télévision.

Elles : **1.** ☐ les parents **2.** ☒ les étudiantes **3.** ☐ les voisins

a. **Ils** écoutent toujours la radio ?

Ils : **1.** ☐ Paul et Patrick **2.** ☐ les enfants **3.** ☐ Anne et Marie

b. **Elle** lit le journal tous les soirs.

Elle : **1.** ☐ le professeur **2.** ☐ la voisine **3.** ☐ les élèves

c. **Il** achète *Le Monde* chaque jour.

Il : **1.** ☐ Pierre et Sylvie **2.** ☐ le père de Marc **3.** ☐ l'amie de Jacques

d. **Elles** suivent le feuilleton de l'été.

Elles : **1.** ☐ les spectateurs **2.** ☐ les téléspectatrices **3.** ☐ le public

e. **Il** loue toujours les mêmes vidéos !

Il : **1.** ☐ le frère de Catherine **2.** ☐ Monsieur Renaud **3.** ☐ la famille

f. **Elle** emprunte des livres à la médiathèque.

Elle : **1.** ☐ les gens **2.** ☐ Christine **3.** ☐ les personnes âgées

g. **Ils** regardent souvent la chaîne France 2.

Ils : **1.** ☐ Patricia et Laurent **2.** ☐ les grands-parents **3.** ☐ les amis de Nicolas

h. **Elles** préfèrent écouter France-Inter.

Elles : **1.** ☐ les collègues **2.** ☐ les femmes **3.** ☐ les étudiants

31 Tutoyez.

Exemple : Vous êtes souffrant. → ***Tu es*** souffrant.

a. Vous allez mieux ? . . . .

b. Vous vous sentez bien ? . . . .

c. Vous allez chez le dentiste. . . . .

d. Vous êtes malade ? . . . .

e. Vous avez un rhume ? . . . .

f. Vous vous portez bien ? . . . .

g. Vous avez mal à la tête. . . . .

h. Vous toussez un peu. . . . .

32 Vouvoyez.

Exemple : Tu parles français ? → ***Vous parlez*** français ?

a. Tu es en vacances ? . . . .

b. Tu as l'heure ? . . . .

c. Tu viens ici souvent ? . . . .

d. Tu aimes cette musique ? . . . .

e. Combien gagnes-tu ? . . . .

f. Tu es marié ?. . . . .

g. Comment tu trouves ce bar ?. . . . .

h. Tu connais bien cet endroit ? . . . .

33 Vouvoyez ou tutoyez ?

Exemples : ***Tu*** es étudiant en philosophie. ***Vous*** allez à l'université.

a. . . . . êtes en 3e année d'économie.

b. . . . . apprends le droit à la faculté.

c. . . . . étudies à la Sorbonne.

d. . . . . faites des études de langue.

e. . . . . as beaucoup de diplômes.

f. . . . . passez des examens à la fin du mois.

g. . . . . suivez une formation de secrétariat.

h. . . . . suis un cours de français.

34 Rayez les pronoms qui ne conviennent pas.

Exemple : Excusez-moi, vous êtes libre ?
– Désolé, je/~~on~~/~~nous~~ suis occupé.

a. Qu'est-ce que je peux faire pour vous ?

– Je/On/Nous voudrais une chambre avec salle de bains, s'il vous plaît.

b. Excusez-moi, vous avez une minute ?

– Oui, je/on/nous sommes libres.

c. Vous avez choisi ?

– Oui, bien sûr. Je/On/Nous aime bien le vin rouge, alors un Bordeaux.

d. Vous voulez un renseignement ?

– Je/On/Nous voudrait connaître les horaires de trains.

e. Vous désirez ?

– Je/On/Nous peux sentir ce parfum ?

f. Vous cherchez quelque chose de précis ?

– Oui, je/on/nous cherchons le dernier roman de Patrick Modiano.

g. Je peux vous renseigner ?

– Non, merci, je/on/nous regardons seulement.

h. Qu'est-ce que vous prenez ?

– Je/On/Nous prend deux croque-monsieur et une carafe d'eau.

35 *On* **ou** *nous.* **Choisissez la forme correcte et retrouvez ces expressions et proverbes français.**

Exemple : **~~On~~/Nous payons les pots cassés.**

a. On/Nous ne fait pas d'omelette sans casser d'œufs.
b. On/Nous filons à l'anglaise.
c. On/Nous avons l'estomac dans les talons.
d. On/Nous ne prête qu'aux riches.
e. On/Nous sommes dans de beaux draps.
f. On/Nous reconnaît l'arbre à ses fruits.
g. Plus on/nous est de fous, plus on/nous rit.
h. On/Nous coupons la poire en deux.

36 **Associez les éléments pour faire des phrases (plusieurs possibilités).**

1. Je
2. J' → c
3. Tu
4. Il
5. Elle
6. On
7. Nous
8. Vous
9. Ils
10. Elles

a. avons quatre enfants.
b. vis dans une grande ville.
c. aime beaucoup le champagne.
d. y a une place ?
e. es étudiante ?
f. habitent en France.
g. s'appellent M. et Mme Renaud.
h. connaissez mon adresse ?

C. Les adjectifs

37 Rayez la forme incorrecte.

Exemple : J'adore ta robe ~~bleu~~/bleue.

a. Le pharmacien est très poli/polie.
b. La conductrice est blessé/blessée.
c. Patricia est matinal/matinale.
d. Mon voisin est têtu/têtue.
e. Vanessa est turc/turque ?
f. La date est antérieur/antérieure.
g. Ma mère est joli/jolie.
h. C'est un tarif normal/normale.

38 Accordez les adjectifs entre parenthèses.

Exemple : Je cherche un costume ***vert*** (vert).

a. L'entrée est . . . . (gratuit) le mercredi.
b. Il aime la bière . . . . (léger).
c. Le café n'est pas . . . . (chaud).
d. Cette cigarette est . . . . (fort).
e. Tu vois la . . . . (petit) fille là-bas ?
f. J'ai une . . . . (long) route à faire.
g. Je voudrais un . . . . (grand) verre de lait.
h. Tu portes un pantalon trop . . . . (court).

39 Rayez la forme inexacte et retrouvez les titres de ces films français.

Exemple : Le dernier/~~dernière~~ métro. *(François Truffaut)*

a. La vie est un long/longue fleuve tranquille. *(Étienne Chatiliez)*
b. Le grand/grande blond avec une chaussure noir/noire. *(Yves Robert)*
c. Le petit/petite criminel. *(Jacques Doillon)*
d. L'été meurtrier/meurtrière. *(Jacques Becker)*
e. La peau doux/douce. *(François Truffaut)*
f. Vie privé/privée. *(Louis Malle)*
g. L'année prochain/prochaine si tout va bien. *(Jean-Loup Hubert)*
h. La grand/grande illusion. *(Jean Renoir)*

40 Associations possibles. Réunissez les différents éléments pour retrouver ces expressions.

a. Elle est ⟶ 3.
b. Il est

1. fermé comme une huître.
2. lent comme un escargot.
3. blanche comme une colombe.
4. noir comme un corbeau.
5. grosse comme une baleine.
6. amoureux comme un chat.
7. frisée comme un mouton.
8. heureuse comme un poisson dans l'eau.

41 Choisissez l'adjectif qui convient.

Exemple : C'est un ***faux*** problème (faux - fausse).

a. J'aime ta veste .... (gris- grise).
b. La peinture est .... (sec - sèche).
c. Je mets ma jupe .... (blanc - blanche).
d. Mon mari est très .... (jaloux - jalouse).
e. Achète de la crème .... (frais - fraîche).
f. J'ai une enfant trop .... (vif - vive).
g. Mon histoire est .... (bref - brève).
h. J'adore cette actrice .... (roux - rousse).

42 Mettez les adjectifs à la forme qui convient.

Exemple : Je vis dans un immeuble ***ancien*** (ancien).

a. J'habite dans un .... (beau) appartement.
b. Vous occupez la suite .... (royal).
c. Elle vit dans un .... (vieux) immeuble.
d. Il séjourne dans une villa .... (marseillais).
e. Nous descendons toujours dans un .... (beau) hôtel.
f. Tu es au .... (premier) étage.
g. Nous logeons à l'hôtel " Le .... (fou) espoir ".
h. Je suis maintenant dans un .... (nouveau) arrondissement.

43 Indiquez si c'est un homme (H) ou une femme (F) dont on parle.

Exemple : Tu es courageuse. (F)

a. Tu es certain ? ( )
b. Comme tu es sotte ! ( )
c. Tu es sérieux ? ( )
d. Tu es trop grosse ! ( )
e. Oh ! tu es coquette. ( )
f. Tu es bonne en maths ? ( )
g. Tu es inquiet. ( )
h. Tu es très brune. ( )

44 Retrouvez ces proverbes français. Choisissez l'adjectif qui convient.

Exemple : La plus belle/~~bel~~/~~belles~~ fille du monde ne peut donner que ce qu'elle a.

a. Pas de nouvelle, bon/bonne/bonnes nouvelle.
b. Mains froid/froids/froides, cœur chaude/chaud/chauds.
c. Mauvais/Mauvaise/Mauvaises herbe croît toujours.
d. La nuit, tous les chats sont gris/grise/grises.
e. Les grandes/grands/grand douleurs sont muettes/muets/muette.
f. Les petites/petit/petits ruisseaux font les grands/grandes/grand rivières.
g. L'argent est un serviteur et un mauvaise/mauvais/mauvaises maître.
h. Les bon/bonnes/bons comptes font les bonne/bonnes/bons amis.

45 Soulignez les adjectifs masculins qui ont la même orthographe au singulier et au pluriel.

Exemple : jolis – roux – japonais

a. blancs – heureux – nouveaux
b. français – bas – fous
c. nerveux – rapides – gras
d. souriants – bruns – courageux
e. intelligents – doux – malheureux
f. vieux – beaux – hébreux
g. mauvais – mous – jaloux
h. gris – faux – frais

46 Mettez les adjectifs entre parenthèses au pluriel.

Exemple : J'ai de ***nouveaux*** habits (nouveau).

a. J'adore les Jeux . . . . (international) d'athlétisme.
b. Il travaille dans les chantiers . . . . (naval).
c. Je ne connais pas la date des examens . . . . (final).
d. Les prix sont . . . . (normal).
e. Ce sont de . . . . (beau) sportifs.
f. Les . . . . (principal) musées sont fermés le mardi.
g. Ils ont des enfants . . . . (brutal).
h. Ce sont des tarifs . . . . (spécial).

47 Accordez les adjectifs entre parenthèses.

Exemple : Elles détestent les roses ***jaunes*** (jaune).

a. Il a les yeux . . . . (marron).
b. Elle porte des chaussures . . . . (blanc).
c. Tu mets toujours ces gants . . . . (orange).
d. Je n'aime pas ces lunettes . . . . (vert).
e. Nous prenons les fleurs . . . . (rose).
f. Tu préfères les boucles d'oreilles . . . . (bleu) ou . . . . (violet) ?
g. J'adore ces bottes . . . . (noir).
h. Vous avez des chemises . . . . (rouge) ?

48 Remettez de l'ordre dans ces phrases.

Exemple : grands/elle/les/fait/dans/courses/les/magasins.
→ **Elle fait les courses dans les grands magasins.**

a. aiment/nouvelle/mes/cuisine/la/amis. → . . . .
b. contemporaine/écoutons/de/musique/nous/la. → . . . .
c. parents/dans/arrondissement/mes/le/habitent/onzième. → . . . .
d. connais/la/tu/italienne/littérature/bien. → . . . .
e. toujours/de/humeur/est/mauvaise/il. → . . . .
f. Jeanne/Lettres/étudie/les/Sorbonne/la/à/modernes. → . . . .
g. professeur/de/école/c'/un/est/vieille/la. → . . . .
h. les/originale/en/préfère/films/je/version. → . . . .

49 **Accordez et ajoutez les adjectifs.**

Exemple : Pierre aime la bière (blond – bon). → Pierre aime la ***bonne*** bière ***blonde.***

a. C'est un professeur (amusant - jeune). . . . .

b. J'ai une voiture (vieux - blanc). . . . .

c. Nathalie Sarraute est un écrivain (grand - français). . . . .

d. C'est un tableau (remarquable - petit). . . . .

e. Mes parents connaissent un restaurant (parisien - bon). . . . .

f. Elle vend une table (rond - joli). . . . .

g. Mon frère travaille dans un quartier (beau - bourgeois). . . . .

h. Sophie a deux poissons (rouge - gros). . . . .

Bilan

50 **Voici une lettre de remerciement. Complétez ou choisissez le mot juste.**

Ma . . . . . . (cher) Marie,

Une merveille, le petit/petites/petits pull bleu/bleue/bleus que . . . . . . as acheté pour notre fils/fille/filles Sophie. . . . . . . va admirablement bien avec ses cheveu/cheveux blonds/blond/blondes et son teint clair/clairs/claire, et . . . . . . le trouve d'une grand/grande/grands élégance. Entre nous, ... crois que c'est . . . . . . vêtement le plus beau/bel/beaux de sa garde-robe.

. . . . . . espérons, Christian et moi, te voir à . . . . . . fête que . . . . . . donnons . . . . . . samedi 15 juin à . . . . . . maison pour la naissance/naissances de Sophie.

À très bientôt,

. . . . . . t'embrasse.

Patricia.

II. LES DÉTERMINANTS

Une hirondelle ne fait pas le printemps.

A. Articles définis/indéfinis

51 **Barrez le nom qui ne convient pas avec le déterminant.**

Exemples : Une (maison – ~~hôtel~~) Un (~~H.L.M.~~ – logement)

a. Un (propriété – chalet)
b. Un (cafétéria – café)
c. Une (studio – habitation)
d. Un (trois pièces – location)
e. Une (restaurant – résidence secondaire)
f. Un (théâtre – auberge)
g. Un (immeuble – villa)
h. Une (chambre d'étudiant – appartement)

52 **Complétez les phrases suivantes par** *un, une* **ou** *des.*

Exemple : À Paris, on peut voir ***des*** films de tous les pays.

a. On expose . . . . . . photos remarquables à la Fnac.
b. Il y a . . . . . . beau concert ce soir à l'église Saint-Eustache.
c. . . . . . . touristes font toujours la queue en bas de la tour Eiffel.
d. . . . . . . nouvelle exposition a lieu ce mois-ci au Centre Pompidou.
e. Mes amis veulent assister à . . . . . . pièce à la Comédie-Française.
f. Pour le 14 juillet, on organise . . . . . . immense feu d'artifice à la Défense.
g. . . . . . . musiciens très célèbres passent à la salle Pleyel.
h. À Bercy, on donne parfois . . . . . . opéras.

53 **Associez les éléments à l'aide d'une flèche pour en faire des phrases.**

a. Nous avons une
b. Vous regardez un
c. Elles achètent des
d. Tu lis une
e. Elle prend une
f. Je fais des
g. On écoute un
h. J'admire un

1. jouets pour les enfants.
2. nouvelle revue.
3. progrès étonnants en italien.
4. vieux disque d'Aznavour.
5. gentille voisine.
6. paysage splendide.
7. bonne douche.
8. album de photos.

54 Complétez par *un, une* ou *des.*

Exemple : Vous prenez ***un*** stylo.

a. Vous posez . . . . . . feuille de papier sur votre table.
b. Vous choisissez . . . . . . ami éloigné.
c. Vous écrivez . . . . . . lettre.
d. Vous mettez votre lettre dans . . . . . . enveloppe.
e. Vous n'oubliez pas de coller . . . . . . timbre.
f. Vous déposez l'enveloppe dans . . . . . . boîte aux lettres.
g. . . . . . . facteur vient prendre le courrier.
h. Dans . . . . . . autre ville, ... ami est heureux de recevoir votre lettre.

55 Complétez par *le* ou *la.*

Exemples : la jupe à fleurs ***le*** sac de Pierre

a. . . . . manteau de Sophie
b. . . . . veste de Jean
c. . . . . pull gris en laine
d. . . . . robe à carreaux
e. . . . . ceinture du peignoir
f. . . . . costume de Nicolas
g. . . . . pantalon de mon père
h. . . . . chemise à pois

56 Complétez par *le, la* ou *l'.*

Exemples : l'armoire ***le*** tapis

a. . . . . escalier
b. . . . . étagère
c. . . . . cuisine
d. . . . . chambre
e. . . . . cheminée
f. . . . . salon
g. . . . . ascenseur
h. . . . . salle de bains

57 Complétez les phrases suivantes par *le, la* ou *l'.*

Exemple : Voici ***le*** frère de ma copine.

a. Je te présente . . . . amie de ma sœur.
b. C'est . . . . cousin de Pierre.
c. Je ne connais pas . . . . tante de Brigitte.
d. Voici . . . . mari de ma cousine.
e. Veux-tu rencontrer . . . . oncle de Thomas ?
f. C'est . . . . nièce de Joseph ?
g. Tu as rendez-vous avec . . . . grand-père d'Antoine ?
h. J'ai croisé . . . . belle-sœur de Charlotte dans la rue.

58 Rayez ce qui ne convient pas.

Exemple : C'est (le, ~~la~~, ~~l'~~) livre que nous utilisons.

a. Je fais (le, la, l') exercice pour demain.
b. Je regarde (le, la, l') couverture de mon livre.
c. Les étudiants adorent (le, la, l') professeur d'histoire.
d. Voici (le, la, l') salle E36.
e. (Le, La, L') amphithéâtre se trouve au fond du couloir.
f. (Le, La, L') secrétariat de (le, la, l') école est ouvert du lundi au vendredi.
g. On se retrouve à (le, la, l') cafétéria à 11 heures.
h. (Le, La, L') année universitaire est organisée en semestres.

59 Mettez ces groupes de mots au singulier.

Exemple : les premiers mois de l'année → ***le premier mois*** de l'année

a. les villages méditerranéens → . . . .
b. les journaux du matin → . . . .
c. les appareils photographiques → . . . .
d. les aéroports internationaux → . . . .
e. les plats du jour → . . . .
f. les expositions universelles → . . . .
g. les promenades quotidiennes → . . . .
h. les bureaux de poste → . . . .

60 Complétez les phrases suivantes par *le, la, l'* ou *les.*

Exemple : Je lis ***les*** nouvelles tous ***les*** matins.

a. . . . . soir, elle suit . . . . actualité à . . . . télévision.
b. À midi, j'écoute . . . . radio.
c. Nous suivons . . . . . . informations avec attention.
d. Patrick Poivre d'Arvor est . . . . grand journaliste de TF1.
e. . . . . chaîne de télévision culturelle s'appelle Arte.
f. Radio-France est . . . . seule radio publique.
g. . . . . publicités sont très nombreuses sur Europe 1.
h. France 3 est . . . . seul média télévisuel régional en France.

61 Complétez par *le, l'* ou *un.*

Exemples : C'est ***un*** ami. C'est ***le*** directeur de ***l'***hôtel.

a. Regarde . . . . programme des films.
b. Qu'est-ce que c'est ? C'est . . . . cadeau ?
c. Expliquez-moi . . . . chemin pour aller à Lyon !
d. Pouvez-vous me donner . . . . renseignement ?
e. Je cherche . . . . bon restaurant.
f. Nous avons une chambre à . . . . hôtel en face de la plage.
g. Il a manqué . . . . train de 8 heures 07.
h. Je voudrais . . . . billet pour Paris.

62 Complétez par *le, la, l', un* ou *une.*

Exemple : On va voir ***un*** ballet à ***l'***Opéra Garnier.

a. Pour aller à la gare Saint-Lazare, il faut prendre . . . . . . bus, le 174 ou le 85.
b. . . . . . . avion pour Marseille, le vol AH 361, décolle dans dix minutes.
c. Il y a . . . . . . gros camion devant l'immeuble.
d. J'ai vu . . . . . . dernier ballet de Patrick Dupont.
e. À Nîmes, ... autoroute est fermée pour travaux ?
f. . . . . . . bus 72 va à . . . . . . porte de Champerret.
g. Ce matin, ... hélicoptère n'a pas pu atterrir à cause de la neige.
h. . . . . . . camion qui transporte notre canapé est au coin de . . . . . . rue.

63 Complétez par *la, l'* ou *une.*

Exemple : Je voudrais ***une*** enveloppe. Écris ***l'***adresse avant d'envoyer cette lettre.

a. Mets . . . . . . robe blanche ; elle te va très bien !
b. Regarde par . . . . . . fenêtre de . . . . . . cuisine, je crois qu'il pleut.
c. Elle doit acheter . . . . . . montre car elle n'a jamais . . . . . . heure !
d. Choisis . . . . . . carte ; c'est . . . . . . as de pique.
e. Je suis en train de photographier . . . . . . colonne Vendôme.
f. On a volé . . . . . . voiture dans la rue cette nuit.
g. Je voudrais . . . . . . glace à . . . . . . vanille, s'il vous plaît !
h. Prends . . . . . . clé du bureau, ... porte est fermée.

64 **Complétez par** *le, la, l', un* **ou** *une.*

Exemple : **À *la* station Villiers, prends *la* ligne 2.**

a. Dans . . . . métro, j'ai croisé . . . . actrice de cinéma.

b. Elle prend . . . . sandwich dans . . . . nouveau café en bas de chez elle.

c. Donnez-moi . . . . numéro de téléphone d' . . . . médecin ; mon fils est malade.

d. Elles voudraient faire . . . . petit voyage dans . . . . Sud.

e. Tu peux trouver . . . . adresse du musée Picasso en consultant . . . . Minitel.

f. . . . . circulation des RER est réduite ; il vaut mieux prendre . . . . taxi.

g. . . . . nouveau Président a décidé . . . . augmentation des prix pour . . . . mois de juillet.

h. Prenez . . . . première rue à droite, vous trouverez . . . . café de . . . . gare.

65 **Complétez par** *le, la, l', un, une, les* **ou** *des.*

Exemple : **On a vu *un* excellent film : *le* dernier film de Resnais.**

a. Daniel Pennac a écrit . . . . essai sur . . . . lecture qui s'appelle *Comme un roman.*

b. Les jeunes Français aiment beaucoup . . . . musique ; . . . . concerts de rock ont souvent lieu au Zénith et à Bercy.

c. . . . . musée d'Orsay propose . . . . visites guidées à . . . . heure du déjeuner.

d. . . . . ministre de . . . . Éducation nationale a changé . . . . calendrier scolaire cette année.

e. . . . . nouvelle université a ouvert ses portes dans . . . . département des Hauts-de-Seine.

f. . . . . Français sont choqués par . . . . la montée des prix.

g. . . . . acteur Gérard Depardieu a reçu . . . . prix pendant . . . . Festival des Films du Monde à Montréal.

h. . . . . bombe a été placée dans . . . . poubelle ; . . . . police recherche . . . . responsables.

B. Les partitifs

66 **Complétez par** *du* **ou** *de la.*

Exemple : **Dans ce village de vacances, on peut faire : *du* ski nautique,**

a. . . . . . . tir à l'arc,

b. . . . . . . tennis,

c. . . . . . . peinture,

d. . . . . . . danse moderne,

e. . . . . . . natation,

f. . . . . . . jogging,

g. . . . . . . gymnastique,

h. et. . . . . . volley-ball.

Mettez une croix dans les colonnes qui conviennent.

Exemple : J'ai une faim de loup ; donnez-moi :

	a. pain	b. salade	c. beurre	d. homard	e. omelette	f. fromage	g. tarte	h. ananas
du	X							
de la								
de l'								

68 Mettez une croix dans les colonnes qui conviennent.

Exemple : Il meurt de soif ; apportez-lui :

	a. eau	b. bière	c. soda	d. cidre	e. orangeade	f. jus de fruit	g. vin	h. limonade
du								
de la								
de l'	X							

69 Faites des phrases sur le modèle donné.

Exemple : Je voudrais une tasse de thé. → Je voudrais ***du*** thé.

a. Nous prendrons un plateau de fruits de mer. → . . . .
b. Voulez-vous un bol de soupe ? → . . . .
c. Donnez-moi une assiette de charcuterie ! → . . . .
d. Elle commande un demi de bière. → . . . .
e. On boit une tasse de café ? → . . . .
f. Prenez donc une assiette de crudités ! → . . . .
g. Je voudrais un plat de poisson. → . . . .
h. Ils commandent deux portions de poulet. → . . . .

Répondez aux questions en tenant compte des mots entre parenthèses.

Exemple : Elle mange des frites ? (peu) → Elle mange ***peu de*** frites.

a. Il boit du vin ? (beaucoup) → . . . .
b. Tu veux encore des légumes ? (plus) → . . . .
c. Ils achètent du pain ? (trop) → . . . .
d. On commande des salades ? (beaucoup) → . . . .
e. Vous prenez du whisky ? (peu) → . . . .
f. Tu désires de la glace ? (plus) → . . . .
g. Elles mangent des gâteaux ? (trop) → . . . .
h. Nous demandons de l'eau ? (un peu) → . . . .

C. Les déterminants à la forme négative

71 **Répondez négativement aux questions posées.**

Exemples : Il fait du sport ? → Non, il ***ne*** fait ***pas de*** sport.
Elle fait **de** l'alpinisme ? → Non, elle ***ne*** fait ***pas d'***alpinisme.

a. Vous écoutez de la musique ? → . . . .
b. Elle joue du piano ?→ . . . .
c. Vous prenez du pain ? → . . . .
d. As-tu du travail ce soir ? → . . . .
e. Tu prends de l'argent ? → . . . .
f. Il fait du ski ? → . . . .
g. Elle a de la monnaie ? → . . . .
h. Voulez-vous de l'ananas ? → . . . .

72 **Faites des réponses négatives.**

Exemples : Vous aimez les fruits ? → Non, je ***n'***aime ***pas*** les fruits.
Prend-elle une crème au caramel ? → Non, elle ***ne*** prend ***pas de*** crème.

a. Mangez-vous des glaces ? → . . . .
b. Tu aimes les sorbets ? → . . . .
c. Veux-tu une soupe ? → . . . .
d. Elle déteste le potage ? → . . . .
e. Mange-t-il du poisson ? → . . . .
f. Ils veulent manger des escargots ? → . . . .
g. Elle préfère les desserts ? → . . . .
h. Alors, vous prenez du fromage ? → . . . .

73 **Posez les questions correspondant aux réponses données.**

Exemples : Tu regardes la télé ? ← Non, je ne regarde pas la télé.
Elle a des problèmes ? ← Non, elle n'a pas de problèmes.

a. . . . . ← Non, il n'aime pas le jazz.
b. . . . . ← Non, je n'achète pas de biscuits.
c. . . . . ← Non, on ne mange pas de beurre.
d. . . . . ← Non, nous n'aimons pas les cuisses de grenouilles.
e. . . . . ← Non, je ne prends pas d'alcool.
f. . . . . ← Non, je ne mange pas de haricots blancs.
g. . . . . ← Non, elle n'aime pas beaucoup le chocolat.
h. . . . . ← Non, ils ne veulent pas d'eau.

Complétez par *le, la, l', les, un, une, des, du, de la, de l', des, de* **ou** *d'.*

Exemple : Elle fait ***du*** ski ? Non, elle déteste ***le*** froid et ***la*** montagne en hiver.

a. Tu fais . . . . progrès ? Oui, j'ai . . . . bon professeur et . . . . temps de travailler.

b. Voulez-vous . . . . bière ? Non, je préfère . . . . verre . . . . eau avec . . . . sirop de menthe et . . . glace.

c. Veux-tu . . . . plat . . . . jour ? Oui, je vais prendre . . . . gigot avec . . . . frites et . . . . salade verte.

d. Vous prendrez . . . . dessert ? Non, apportez-moi directement . . . . café et . . . . addition !

e. Tu fais . . . . jogging ? Non, je ne fais pas . . . . jogging mais je fais . . . . danse.

f. Elle joue . . . . accordéon ? Non, elle ne joue plus . . . . accordéon ; maintenant, elle joue . . . . clarinette.

g. Vous prenez . . . . parapluie, j'espère ! Non, je n'aime pas . . . . parapluies, je préfère mettre . . . . imperméable.

h. Tu fais . . . . voyage cet été ? Non, je n'ai pas . . . . argent alors je ne prends pas . . . . vacances cette année.

Rayez ce qui ne convient pas (il y a parfois plusieurs possibilités).

Exemple : On n'a pas (~~un~~ - de - ~~du~~) pétrole mais on a (~~les~~ - ~~d'~~ - des) idées.

a. Avez-vous (une - l' - de l') heure ? Désolée, je n'ai pas (de - de la - une) montre.

b. Aimez-vous (les - des - d') animaux ? J'adore (des - les - le) chats et (les - des - de) chiens mais je n'ai pas (une - de - de la) place chez moi.

c. Tu veux (le - des - un) dessert ? Volontiers, je vais prendre (la - de la - une) glace au café.

d. (Le - Du - Un) réfrigérateur est vide ! Il faut aller faire (une - les - des) courses.

e. Achète (les - des - un) fruits, (une - de la - la) viande et (de - du - un) fromage mais ne prends pas (les - de - des) yaourts, il y en a !

f. Tu parles (d' - l' - un) anglais couramment ? Oui, j'ai (le - un - d') ami en Angleterre ; il a (une - la - de la) grande maison et il m'invite souvent.

g. Vous aimez (une - la - de la) musique ? Oui, j'écoute beaucoup (la - de - de la) musique classique mais je n'aime pas (du - le - de) rap.

h. Tu prends (le - de - du) thé ? Avec plaisir, mais je ne veux pas (de - du - le) sucre, ni (le - de - du) lait.

D. Les adjectifs démonstratifs

76 **Reliez par une flèche les éléments qui correspondent.**

Vous désirez ? – Je voudrais voir :

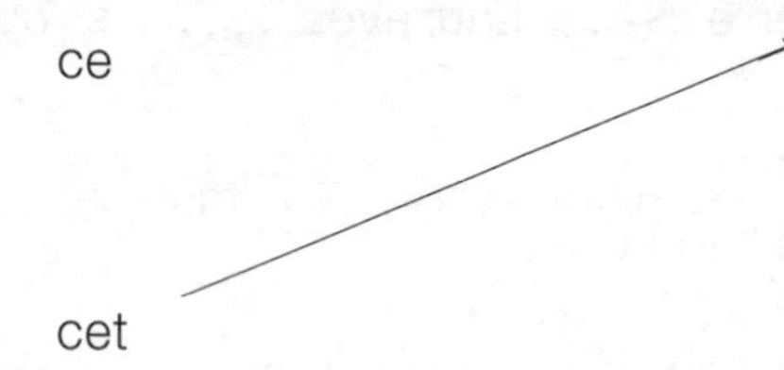

ce
cet
cette

a. ensemble rouge.
b. costume gris.
c. robe verte.
d. tailleur bleu marine.
e. jupe à fleurs
f. écharpe en soie.
g. pull noir.
h. adorable chemisier.

77 **Rayez ce qui ne convient pas.**

Exemple : Peux-tu me passer (ce-~~cet~~-~~cette~~) disque ?

a. Je peux essayer (ce-cet-cette) rouge à lèvres ?
b. On aimerait regarder (ce-cet-cette) émission ce soir.
c. Peux-tu me prêter (ce-cet-cette) dictionnaire ?
d. J'ai besoin de lire (ce-cet-cette) article !
e. As-tu envie d'aller voir (ce-cet-cette) film ?
f. Je ne connais pas (ce-cet-cette) rue !
g. Il ne se souvient pas de (ce-cet-cette) événement ?
h. Elle ne comprend pas (ce-cet-cette) question.

78 **Faites des réponses sur le modèle donné en employant** *ce, cet, cette* **ou** *ces.*

Exemple : Avez-vous choisi ?

(chaussures rouges) → Oui, je vais prendre ***ces*** chaussures rouges.

a. (ceinture en cuir) → .... Cette ....
b. (pantalon en lin) → .... ce ....
c. (paire de boucles d'oreilles) → .... Cette ....
d. (imperméable beige) → .... Cet ....
e. (bottes noires) → .... Ces ....
f. (élégant ensemble blanc) → .... Cet ....
g. (foulard en coton) → .... Ce ....
h. (montre en acier) → .... Cette ....

E. Les adjectifs possessifs

79 **Complétez par** *mon, ma* **ou** *mes.*

Exemples : ***mon*** chien ***ma*** maison ***mes*** fleurs

a. . . . . . code
b. . . . . . porte
c. . . . . . salle de bains
d. . . . . . fenêtre
e. . . . . . toilettes
f. . . . . . salon
g. . . . . . clés
h. . . . . . chambre

80 **Complétez par** *mon* **ou** *ma.*

Exemples : ***mon*** université ***ma*** faculté

a. . . . . . société
b. . . . . . auberge
c. . . . . . école
d. . . . . . entreprise
e . . . . . . étude de notaire
f. . . . . . boutique
g. . . . . . banque
h. . . . . . usine

81 **Complétez par** *ton, ta* **ou** *tes.*

Exemple : Prends-tu ***tes*** appareils photo ?

a. Est-ce que tu suis toujours . . . . . cours d'italien ?
b. Comment est . . . . . professeur d'espagnol ?
c. Qui sont . . . . . nouveaux amis ?
d. Parle-moi des étudiants de . . . . . classe.
e. Je voudrais voir . . . . . livre de grec.
f. Peux-tu me prêter . . . . . feuilles de notes ?
g. Donne-moi . . . . . adresse à la cité universitaire.
h. As-tu fini . . . . . explication de texte pour demain ?

82 **Complétez les phrases suivantes par** *notre, nos, votre* **ou** *vos.*

Exemple : Notre **voiture marche très bien ; nous venons de l'acheter.**

a. Comment va . . . . . sœur ? Vous m'avez dit qu'elle était malade.
b. Vous habitez dans le 16e ? Aimez-vous . . . . . quartier ?
c. J'ai une bonne surprise pour vous : j'ai retrouvé . . . . . gants !
d. Nous n'avons pas de chance : nous venons de rater . . . . . RER.
e. En juillet, nous envoyons . . . . . enfants en colonie de vacances.
f. Nous n'avons plus de problèmes : . . . . . banque nous a prêté de l'argent.
g. Pierre, j'aimerais connaître . . . . . parents !
h. Nous étudions la psychologie et . . . . . cours sont passionnants !

83 **Faites des phrases à partir des éléments suivants.**

Exemple : Alice – un abonnement SNCF → C'est son abonnement SNCF.

a. Mon frère – moto → . . . .
b. Jacqueline et Jean-Marc – voiture → . . . .
c. Jacques – tickets de métro → . . . .
d. Dominique et Joseph – mini-bus → . . . .
e. Léo et Thomas – billets d'avion → . . . .
f. Paul et Julie – train → . . . .
g. Pascale – carte orange → . . . .
h. Jean – vélo → . . . .

84 **Complétez les phrases suivantes par** *leur* **ou** *leurs.*

Exemple : Ses parents sont propriétaires de ***leur*** appartement.

a. Vos voisins ont invité . . .leurs. amis pour fêter . .leur. . . anniversaire de mariage.
b. M. et Mme Claude ont le plaisir de vous annoncer la naissance de . .leur. . fils Ferdinand.
c. Les voyageurs sont priés de surveiller . .leurs. . bagages dans les gares.
d. Les familles nombreuses ont des réductions sur . .leurs. . billets de train.
e. Les clients doivent régler . .leurs. . achats avant de sortir du magasin.
f. Nathalie et Pierre vont avoir . .leur. . . premier enfant.
g. Brigitte et Philippe ont déménagé ; ils sont en train d'aménager . leur. . . nouvelle maison.
h. Nos amis sont ennuyés : . .leurs . filles travaillent mal au collège.

85 **Réécrivez ce texte en remplaçant Charlotte par** *Charlotte et Pauline* **(deux sœurs jumelles).**

Exemple : Charlotte et Pauline viennent de fêter ***leurs*** douze ans.

Charlotte vient de fêter ses douze ans. Dans son collège, elle étudie l'anglais. Elle adore son professeur mais elle ne fait pas toujours ses exercices ; alors, ses notes ne sont pas bien bonnes. Sa mère est plutôt sévère et elle interdit à Charlotte de voir ses amies le mercredi. Charlotte passe donc son jour de repos à faire la tête, sans ouvrir son livre d'anglais.

. . . .
. . . .
. . . .
. . . .
. . . .
. . . .
. . . .
. . . .

Bilan

86 **Complétez ce dialogue par des articles définis, indéfinis, des partitifs, des adjectifs démonstratifs ou des adjectifs possessifs.**

– Catherine, nous venons de déménager ; .notre. nouvel appartement est assez grand et nous allons organiser . une . petite fête avec . .nos . amis.
– Voilà . .une . excellente idée ! Est-ce que tu inviteras aussi . .votre sœur ?
– Bien sûr ! J'inviterai aussi . . mes parents et . . les . parents de Julien.
– Quand pensez-vous faire . cette. fête ?
– À . . le . . fin d'octobre, peut-être . . . le. 25, ça tombe . . un . . samedi.
– C'est très bien pour moi ! Tu sais, j'ai . . un . nouveau copain ; tu l'invites aussi ?
– J'imagine que c'est . . . . . . charmant garçon et qu'il a beaucoup . . . . . . qualités ! Évidemment, viens avec . . . . . . ami. Alors je vais envoyer . . . . . . cartons d'invitation.
Je vais commencer . . . . . . soir.
– N'oublie pas de donner . . . . . . indications pour venir chez vous, ainsi que . . . . . . numéro de téléphone.
– Tu as raison. Je vais aller . . . . . . après-midi à . . . . . . librairie pour choisir . . . . . . cartons d'invitation. Je te laisse car j'ai . . . . . . rendez-vous chez . . . . . . dentiste à 11 heures. À bientôt.
– À très bientôt !

III. LES PRÉPOSITIONS

C'est au pied du mur qu'on voit le maçon.

A. LE LIEU/LE TEMPS

87 Reliez les éléments pour en faire des phrases.

a. Je dois acheter des livres
b. Nous allons chercher notre enfant
c. Maryse est en train de faire les courses
d. Mon ami s'occupe des visas
e. Je passe prendre mon billet
f. Paul a une chambre
g. Comme d'habitude, je déjeune
h. Dominique prend le métro

au
à l'
à la

librairie *Le Divan.*
crèche.
restaurant *Le Merle.*
ambassade.
agence de voyages.
hôtel *Rive gauche.*
supermarché.
station Odéon.

88 Rayez les lieux incorrects.

Exemple : Demain, je me promène au – Bois de Boulogne – ~~forêt de Chantilly~~ – ~~rue de Bièvre~~.

a. Le dimanche, je vais au – jardin du Luxembourg – place de la Concorde – hippodrome de Longchamp.
b. Une fois par semaine, ma fille étudie à la – laboratoire de langue – Très Grande Bibliothèque – université.
c. Tu viens avec nous lundi à l' – Opéra Bastille – Théâtre de la Ville – concert.
d. Je passe toute la journée au – musée d'Orsay – Pyramide du Louvre – Orangerie.
e. Mes amis préfèrent aller à l' – parc Montsouris – Institut du Monde arabe – Champs-Élysées.
f. Nous allons avec la classe à la – Jardin des plantes – tour Eiffel – Arc de triomphe.
g. Ce soir nos voisins vont voir un spectacle au – Opéra Garnier – Folies-Bergère – Moulin-Rouge.
h. Mes parents dînent souvent à la – Bistrot de la gare – Coupole – Auberge du vieux cygne.

89 Complétez avec *au, à la, à l'* ou *aux.*

Exemple : Nous allons chaque semaine ***au*** spectacle.

a. Vous dansez . . . . . Folies-Bergère ?
b. Il donne un récital . . . . . salle Pleyel.
c. Mes amis dînent . . . . . Champs-Élysées.
d. On joue une bonne pièce . . . . . Théâtre de la Ville.

e. Le groupe Kassav passe samedi . . . . . Bataclan.
f. J'accompagne ma fille . . . . . Galeries Lafayette.
g. J'invite mes parents . . . . . opéra.
h. Viens prendre un verre . . . . . terrasse du café.

90 Associations possibles. Réunissez les différents éléments (plusieurs possibilités).

a. Dominique et Julie se marient
b. Mon fils habite
c. Il va chercher un visa
d. Elle est conseillère municipale
e. Cécile étudie le droit
f. Je fais mes courses
g. Mes voisins emménagent
h. Les amis de Jacques chantent

au
à la
à l'
aux
chez l'

1. consulat égyptien.
2. M. et Mme Gruelle.
3. mairie du onzième.
4. Halles, près de l'église.
5. épicier au coin de la rue.
6. église Saint-Ambroise.
7. faculté de Bordeaux.
8. 24, boulevard des Italiens.

91 Complétez avec *au, à la, à l', aux* ou *chez.*

Exemple : Vous vivez ***à l'***étranger ?

a. Tu peux me raccompagner . . . . . moi ?
b. Elle vient dîner . . . . . maison?
c. Ce week-end, je pars . . . . . campagne.
d. Il est . . . . . Christine.
e. Nous adorons aller . . . . . Puces.
f. Ils sont nés . . . . . montagne.
g. Pierre reste deux jours . . . . . hôtel.
h. Vous voulez aller . . . . . cinéma?

92 Soulignez le pays qui convient.

Exemple : Il est professeur au <u>Japon</u>/France.

a. Je suis né en Argentine/Chili.
b. Tes parents vivent au Canada/Suisse.
c. Votre famille habite en Danemark/Suède.
d. Tu voyages en Maroc/Égypte.
e. Elles étudient au Belgique/Luxembourg.
f. Ses amis partent en Brésil/Chine.
g. Mes voisins travaillent au Cameroun/Turquie.
h. Olivier veut aller au Allemagne/Portugal.

93 Choisissez la bonne préposition.

Exemple : Il voudrait habiter ~~au~~/en Équateur.

a. Les appartements sont chers au/en Italie ?
b. Au/En Mexique, les gens parlent espagnol.
c. Nous passons nos vacances au/en Grèce.
d. Au/En Israël, on va visiter Jérusalem.
e. Vous voyagez au/en Corée?
f. Elles vont repartir au/en Mozambique.
g. On mange bien au/en Liban?
h. Il y a des montagnes au/en Irak?

94 Complétez avec *au, en, aux.*

Exemple : Tu habites ***en*** Espagne? Non, je vis ***en*** Uruguay.

a. Vous étudiez l'anglais . . . . . États-Unis ? – Non, je suis étudiant . . . . . Angleterre.
b. Tes parents partent . . . . . Zaïre? – Non, ils préfèrent rester . . . . . Pays-Bas.
c. Vos amis arrivent . . . . . Iran samedi ? – Non, ils vont d'abord . . . . . Yémen.
d. Ta famille a une entreprise . . . . . Cambodge. – Non, c'est une société . . . . . Philippines.

95 Complétez par *à, au, en, aux.*

***Exemple :* À** Avoriaz, il y a le Festival du film fantastique.

a. Le Festival international du film se déroule . . . . Cannes.
b. La cérémonie des Oscars a lieu . . . . États-Unis.
c. Il y a un Festival de jazz . . . . Juan-les-Pins.
d. Le Festival international du film de Moscou est célèbre . . . . Russie.
e. Le Festival du film américain se passe . . . . Deauville.
f. Le Lion d'or est un grand prix décerné . . . . Venise.
g. Le Festival du rire se trouve . . . . Canada.
h. La remise des prix Nobel se passe . . . . Suède.

96 Associations possibles.

a. Laurent travaille →	**à**	1. ses amis.
b. Ils sont nés	**au**	2. Angola.
c. Ma mère habite	**à l'**	3. Seychelles.
d. Nous voyageons	**à la**	4. supermarché.
e. Elle rentre	**aux**	5. hôpital.
f. Je fais mes courses	**en**	6. banque.
g. Vous venez en vacances	**chez**	→ 7. Marseille.
h. Tes enfants sont médecins		8. Mali.

97 Soulignez le pays, la ville ou l'île qui convient.

Exemple : La cuisine est bonne à – Taïwan – Açores – Sri-Lanka.

a. Je passe mes vacances aux – Hawaï – Réunion – Antilles.
b. Je préfère retourner à – Cuba – Sardaigne – Crète.
c. Nous restons en – Madagascar – Porto Rico – Sicile.
d. Elle repart au – Caire – Tokyo – Caracas.
e. Mes frères sont aux – Niger – Soudan – Émirats arabes unis.
f. Vous aimez aller à – Baléares – Chypre – Corse.
g. Il fait toujours beau aux – Canaries – Madère – Malte.
h. L'hiver dure longtemps à – Vancouver – Canada – Finlande.

98 Reliez les mots pour faire des phrases.

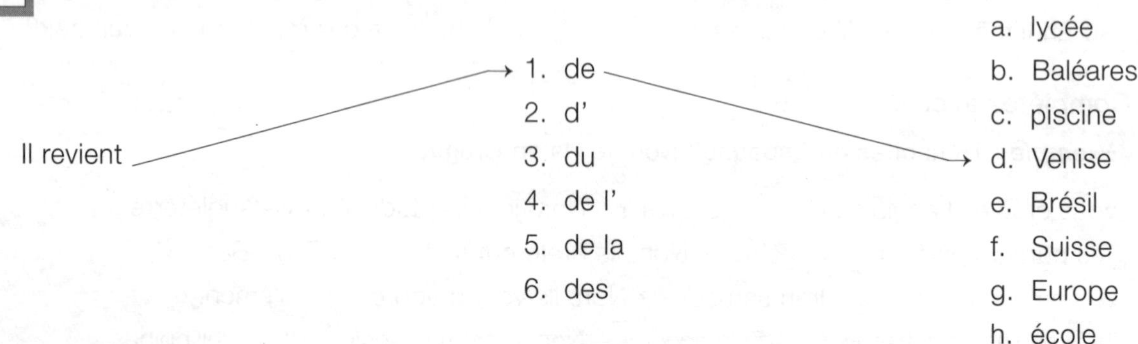

99 **Classez dans les colonnes les lieux suivants :** *office du tourisme, agence de voyages, Autriche, le dentiste, Birmanie, Égypte, bureau, Malte, boulangerie, université, Roumanie, Guatemala, gare, Bermudes, poste, Porto Rico.*

Il rentre :

de	
d'	Autriche,
du	
de l'	office du tourisme,
de la	
des	
de chez	

100 **Complétez par** *à, en, dans, sur, chez, par, de, au.*

Exemple : Attention ! tu marches ***sur*** la chaussée.

a. Il habite . . . . . . Paris ou . . . . . . banlieue?
b. Il voyage . . . . . . province ou . . . . . . l'étranger?
c. Il achète un appartement . . . . . . le huitième arrondissement .... premier étage.
d. Tu préfères habiter . . . . . . la mer, ... la montagne ou bien .... la campagne?
e. Elle passe ses vacances . . . . . . la Côte d'azur ou . . . . . . les Pyrénées?
f. Cette année, tu pars . . . . . . Bretagne ou . . . . . . le Bordelais?
g. Je passe toujours . . . . . . Lyon quand je reviens . . . . . . Marseille.
h. Il travaille . . . . . . l'EDF ou . . . . . . Renault ?

101 **Choisissez la bonne préposition.**

Exemple : Rendez-vous à 19 heures ***dans*** (à/en/dans) ce café.

a. Le train . . . . . . (sur/pour/en) Dijon part à 8h03.
b. Il se promène . . . . . . (sur/pour/dans) le quartier Saint-Germain.
c. Le dimanche, il n'y a personne . . . . . . (sur/dans/en) la rue.
d. Le cinéma, c'est la première rue . . . . . . (à/après/par) droite.
e. Je passe . . . . . . (dans/sous/par) les quais de Seine.
f. Mon appartement donne . . . . . . (sur/après/de) la rue.
g. Vous voyez la boulangerie ? Tournez . . . . . . (après/à/pour) le magasin.
h. Tu peux mettre les livres . . . . . . (en/dans/sur) la table?

102 Remettez ces phrases dans l'ordre.

Exemple : repose-le-se-Paul-sur-canapé → Paul se repose sur le canapé.

a. conduis-ville-ou-en-autoroute-sur-tu ? → . . . .
b. mer-as-tu-sur-la-vue? → . . . .
c. centre-le-quartier-est-historique-dans-ville → . . . .
d. place-mon-je-marché-fais-Berlioz-la-sur → . . . .
e. Libye-entre-l'-et-Égypte-l'-Algérie-se-trouve-la → . . . .
f. Lyon-cinq-kilomètres-cents-de-à-Paris-est → . . . .
g. tu-ce-t'-chaise-assois-la-sur-ou-dans-fauteuil ? → . . . .
h. l'-Méditerranée-avion-voler-va-au-dessus-de-la → . . . .

103 Complétez par *jusqu'à, à, par, après, avant, dans, sur, pour* (parfois plusieurs possibilités).

Exemple : Faites ce travail ***pour/avant*** jeudi.

a. Cette pharmacie est ouverte 24 h . . . . 24.
b. Ma mère travaille . . . . mi-temps.
c. J'étudie tous les jours . . . . 18 h 30.
d. Est-ce que je peux partir . . . . la fin du cours.
e. . . . . minuit, il est difficile de dîner au restaurant.
f. Je cours dans la forêt une heure . . . . jour.
g. Le technicien va passer . . . . la journée.
h. Elle part . . . . un mois en Australie.

104 Associations possibles.

1. Victor Hugo est né
2. Je fête mon anniversaire
3. La nature se réveille
4. Je fais du ski
5. J'offre des cadeaux
6. La Seconde Guerre s'est terminée
7. Il peut apprendre le français
8. Je t'invite à dîner

à
au
en
au mois de
dans
à la

a. mi-juin.
b. hiver.
c. mai.
d. printemps.
e. Noël.
f. 1945.
g. XIXe siècle.
h. trois mois.

105 Choisissez la bonne préposition et retrouvez ces proverbes français.

Exemple : À (À/Dans) la chandeleur, l'hiver se passe ou prend vigueur.

a. Rome ne s'est pas faite . . . . . . (dans/en) un jour.
b. . . . . . . (À/En) mai, fais ce qu'il te plaît.
c. . . . . . . (Sur/Avant) l'heure, ce n'est pas l'heure.
d. . . . . . . (Par/En) avril, ne te découvre pas d'un fil.
e. . . . . . . (Après/Dans) l'heure, ce n'est plus l'heure.
f. . . . . . . (À/En) la Sainte-Catherine, tout prend racine.
g. . . . . . . (Sur/Après) la pluie, le beau temps.
h. Mettre la charrue . . . . . . (avant/par) les bœufs.

B. CARACTÉRISATION

106 Associations possibles.

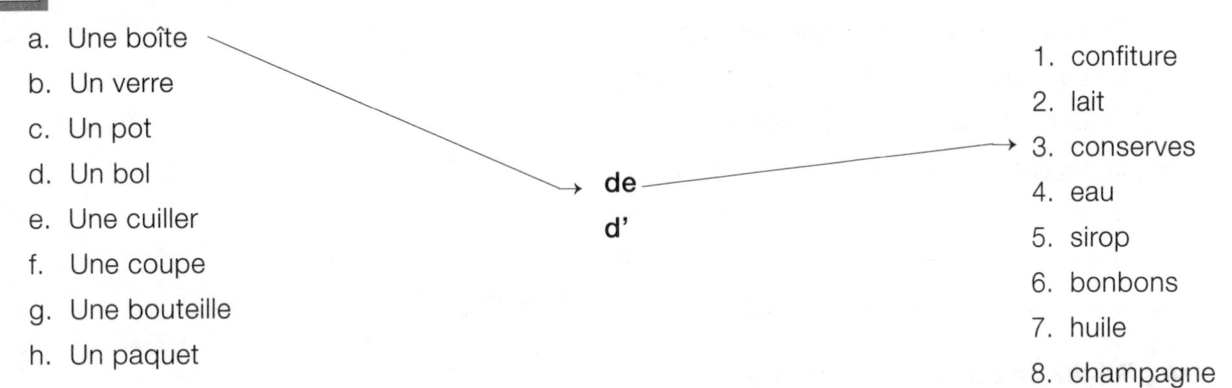

a. Une boîte
b. Un verre
c. Un pot
d. Un bol
e. Une cuiller
f. Une coupe
g. Une bouteille
h. Un paquet

de
d'

1. confiture
2. lait
3. conserves
4. eau
5. sirop
6. bonbons
7. huile
8. champagne

107 Reliez les différents éléments.

a. Un flacon
b. Une assiette
c. Une machine
d. Une barquette
e. Un tube
f. Une lampe
g. Une salle
h. Un fer

à
d'
de

1. écrire
2. soupe
3. parfum
4. dentifrice
5. classe
6. fraises
7. huile
8. repasser

108 Soulignez ce qui convient.

Exemple : une brosse de/à cheveux

a. une maison de/à campagne
b. un circuit de/à courses
c. une machine de/à laver
d. une salle de/à manger
e. une chambre d'/à hôtel
f. un cours de/à français
g. un gâteau de/à riz
h. une boîte de/à musique

109 Imaginez l'utilité et le contenu de ces objets

Exemple : une carafe ***à vin/d'eau***

a. une corbeille . . . . . . / . . . . . .
b. une tasse . . . . . . / . . . . . .
c. un verre . . . . . . / . . . . . .
d. une boîte . . . . . . / . . . . . .
e. une cuiller . . . . . . / . . . . . .
f. un plateau . . . . . . / . . . . . .
g. une assiette . . . . . . / . . . . . .
h. une flûte . . . . . . / . . . . . .

110 **Complétez par** *de, du, de l', de la, des.*

Exemple : Les informations ***de la*** presse sont bonnes.

a. La météo . . . . . . après-midi est mauvaise.
b. Le programme . . . . . . télévision ne me plaît pas.
c. La publicité . . . . . . journal est en couleurs.
d. Je lis l'horoscope . . . . . . semaine.
e. Je regarde les photos . . . . . . magazine.
f. Je cherche la page . . . . . . mots croisés.
g. J'adore le dernier livre . . . . . . Claude Simon.
h. J'ai regardé la nouvelle émission . . . . . . Bernard Rapp.

111 **Rayez ce qui ne convient pas.**

Exemple : la politique de ~~France~~/~~ministre~~/Jacques Chirac

a. le traitement des professeur/fonctionnaires/médecin
b. le Conseil des maire/avocate/ministres
c. la Chambre des députés/ambassadeur/sénateur
d. le tribunal de étranger/villes/Paris
e. le Palais de l' Lyon/Élysée/Côte d'azur
f. le Président de la République/école/entreprises
g. le chef du État/chambre/gouvernement
h. la mairie de île/village/Marseille

C. Verbes + prépositions

112 **Complétez si nécessaire par** *de.*

Exemples : Je propose ***de*** regarder le Tour de France.
Je déteste courir.

a. J'aime . . . . skier en Haute-Savoie.
b. Alice a peur . . . . sauter en parachute ?
c. Tu espères . . . . gagner la course ?
d. Julien préfère . . . . regarder le match à la télévision.
e. Les enfants acceptent . . . . pratiquer un sport.
f. Vous désirez . . . . nager ?
g. Tu as envie . . . . voir la finale ?
h. Les footballeurs ont fini . . . . jouer ?

113 **Rayez la préposition inutile** *à* **ou** *de.*

Exemple : Ce livre est facile ~~de~~/à lire.

a. C'est difficile de/à bien connaître un pays.
b. Il est impossible de/à visiter tous les monuments.
c. Les gens sont difficiles de/à rencontrer dans les capitales.

d. Elle porte un nom impossible de/à prononcer.
e. Les Parisiennes sont agréables de/à regarder.
f. Il est dangereux de/à rentrer seul la nuit.
g. C'est agréable de/à se promener sur les Champs-Élysées.
h. Ce musée est intéressant de/à voir.

114 **Complétez par *à* si c'est nécessaire.**

Exemples : Marie arrive ***à*** parler quatre langues.
Vous pouvez obtenir un diplôme.

a. J'apprends . . . . parler l'italien.
b. Elle doit . . . . s'inscrire à l'université.
c. Mon voisin a réussi . . . . étudier le chinois en Chine.
d. Olivier veut . . . . suivre des cours à la faculté.
e. Ses enfants continuent . . . . enseigner en Europe.
f. Tu aides ton frère . . . . corriger son exercice ?
g. Invite ton professeur . . . . déjeuner !
h. Pense . . . . faire tes devoirs !

115 **Soulignez le sport, l'instrument de musique ou le jeu qui convient.**

Exemple : Ma mère joue du guitare/basket/violon.

a. Son mari joue au tennis/piano/flûte
b. Tu veux jouer aux échecs/loto/football
c. Elle sait jouer de la trompette/cartes/ballon
d. Les enfants jouent à la dés/balle/clarinette
e. Dominique joue du handball/judo/saxophone
f. Tu devrais jouer des dames/castagnettes/rugby
g. C'est amusant de jouer au billard/boules/batterie
h. J'aimerais jouer de l'harmonica/violoncelle/dominos

116 ***À, de*** **ou ni l'un ni l'autre. Complétez.**

Exemple : Tu écris ***à*** ta sœur ?

a. Nous cherchons . . . . notre fille Claire.
b. Tu as besoin . . . . un livre ?
c. J'aide . . . . ma mère le week-end.
d. Demande . . . . ton professeur!
e. Elle donne . . . . le cadeau . . . . son ami.
f. Remerciez . . . . votre ami pour sa gentillesse !
g. J'ai envie . . . . un gâteau à la crème.
h. Il s'occupe . . . . ses enfants le soir ?

117 **Faites des phrases d'après le modèle.**

Exemple : attendre/le prochain train. → Tu attends le prochain train?

a. téléphoner/l'agence de voyages → . . . .

b. il est nécessaire/parler anglais → . . . .

c. rêver/partir en vacances → . . . .

d. rendre visite/Monsieur Roland → . . . .

e. essayer/la robe blanche → . . . .

f. parler/l'exposition Cézanne → . . . .

g. penser/les enfants → . . . .

h. aller/prendre une baguette → . . . .

Bilan

118 **Complétez par une préposition si nécessaire.**

La cliente : *Bonjour monsieur, je voudrais des renseignements sur vos voyages organisés.*
L'employé : *Bien sûr. Vous voulez rester (1) . . . . . . Canada?*
La cliente : *Non, j'aimerais (2) . . . . . . voir autre chose. L'Europe, par exemple.*
L'employé : *Vous voulez aller où ? (3) . . . . . . France ? (4) . . . . . . Suisse ? Vous connaissez (5) . . . . . . l'Italie ?*
La cliente : *Non, mais je rêve (6) . . . . . . ces pays !*
L'employé : *Vous désirez (7) . . . . . . aller (8) . . . . . . la mer ou (9) . . . . . . la montagne ?*
La cliente : *Les deux si possible.*
L'employé : *Dans ce cas, je vous propose (10) . . . . . .faire un voyage (11) . . . . . . Autriche parce que vous passez (12) . . . . . . la Suisse, c'est un beau pays montagneux, et puis vous avez un très beau circuit (13) . . . . . . Autriche où vous visitez (14) . . . . . . plusieurs régions magnifiques. Pour finir, vous rentrez (15) . . . . . . l'Italie. Tenez, voici une brochure.*
La cliente : *Je préfère (16) . . . . . . aller (17) . . . . . . Europe (18) . . . . . . printemps. Qu'en pensez-vous ?*
L'employé : *(19) . . . . . . printemps ou (20) . . . . . . été, c'est effectivement fort agréable.*
La cliente : *Je séjourne (21) . . . . . . Vienne, n'est-ce pas?*
L'employé : *Naturellement.*
La cliente : *Il y a des départs (22) . . . . . . mai ou bien (23) . . . . . . août ?*
L'employé : *Un instant ; je demande (24) . . . . . . mon collègue. Pas de problème, madame.*
La cliente : *Bien, alors je repasserai (25) . . . . . . quinze jours pour réserver deux billets (26) . . . . . . avion. Merci. Ah ! Une dernière chose : votre agence (27) . . . . . . voyages ferme à quelle heure?*
L'employé : *(28) . . . . . . dix-neuf heures, madame.*
La cliente : *Merci encore. Au revoir.*

IV. LE PRÉSENT DE L'INDICATIF

Les paroles s'en vont, les écrits restent.

A. Avoir – Être

119 **Associez les pronoms au reste de la phrase (parfois plusieurs possibilités).**

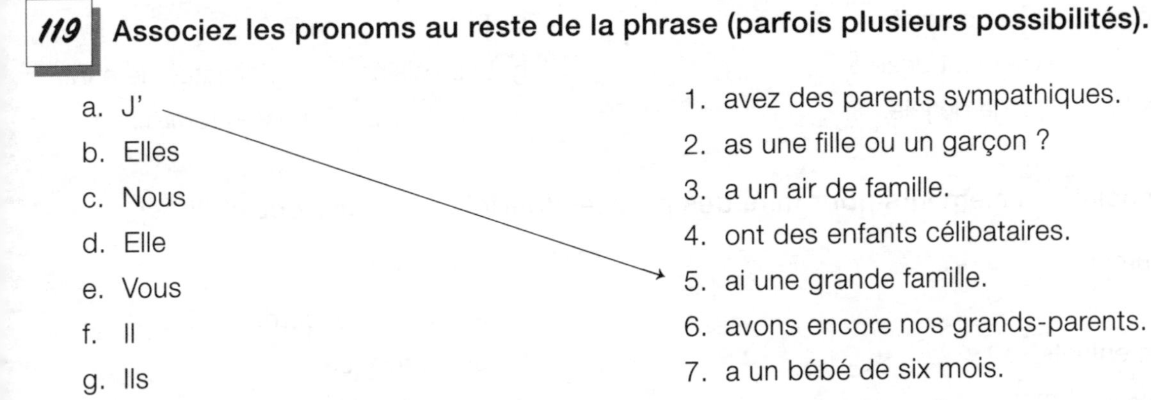

a. J'
b. Elles
c. Nous
d. Elle
e. Vous
f. Il
g. Ils
h. Tu

1. avez des parents sympathiques.
2. as une fille ou un garçon ?
3. a un air de famille.
4. ont des enfants célibataires.
5. ai une grande famille.
6. avons encore nos grands-parents.
7. a un bébé de six mois.
8. a une sœur jumelle.

120 **Choisissez la forme verbale correcte.**
Exemple : Elle ***a*** (ai/a/as) un petit ami.

a. Mes voisins . . . . . . (avons/ai/ont) une belle maison.
b. Dominique . . . . . . (avez/a/ai) 35 ans cette année.
c. J' . . . . . . (as/ont/ai) beaucoup de travail.
d. Il . . . . . . (a/as/ont) mal à la tête.
e. On . . . . . . (avons/a/avez) faim.
f. Vous . . . . . . (as/avez/avons) rendez-vous ?
g. Tu . . . . . . (a/ai/as) envie de manger ?
h. Nous . . . . . . (avons/avez/ont) des invités ce soir.

121 **Retrouvez ces expressions françaises (parfois plusieurs possibilités).**
Exemple : Il/Elle/On a un appétit d'oiseau.

a. . . . . a un cheveu sur la langue.
b. . . . . ont un chat dans la gorge.
c. . . . . ai une taille de guêpe.
d. . . . . as une langue de vipère.
e. . . . . a un caractère de cochon.
f. . . . . avez un œil de lynx.
g. . . . . ont une mémoire d'éléphant.
h. . . . . avons une faim de loup.

122 **Complétez par la forme convenable du verbe** *avoir.*

Exemple : Il ***a*** le temps de manger ?

a. Vous . . . . . . la monnaie de dix francs ?
b. Tu . . . . . . l'air fatigué.
c. Nous . . . . . . les places 26 et 27.
d. On . . . . . . l'habitude du froid.
e. Ils . . . . . . une nouvelle adresse.
f. J' . . . . . . du mal à comprendre.
g. Elle . . . . . . raison de partir.
h. Elles . . . . . . de la chance.

123 **Complétez par le verbe** *être* **au présent.**

Exemple : Il ***est*** absent.

a. Nous . . . . . . enchantés de vous connaître.
b. L'hôtel . . . . . . complet.
c. Je . . . . . . vraiment désolé
d. Elle . . . . . . folle de joie.
e. Vous . . . . . . en vacances ?
f. Tu . . . . . . marié ?
g. Les voisins . . . . . . tristes de partir.
h. On n' . . . . . . pas en retard.

124 **Associez les éléments pour faire des phrases (parfois plusieurs possibilités).**

a. Laurent
b. Tu
c. Les enfants
d. Pascal et moi
e. Ils
f. Je
g. Ma famille
h. On

1. sont en Sicile.
2. sommes d'accord.
3. es en avance.
4. suis fatiguée
5. est musicienne.
6. est obligés de partir.
7. est avocat.
8. sont au téléphone.

125 **Retrouvez ces expressions.**

Exemple : Je ***suis*** laid comme un pou.

a. Vous . . . . . . têtu comme une mule.
b. Pierre . . . . . . fier comme un coq.
c. Elle . . . . . . rouge comme une tomate.
d. Je . . . . . . sale comme un cochon.
e. Tu . . . . . . malin comme un singe.
f. Je . . . . . . doux comme un agneau.
g. Vous . . . . . . fidèle comme un chien.
h. Tu . . . . . . fort comme un bœuf.

126 **Complétez par** *ai, es, est.*

Exemple : L'ordinateur ***est*** dans le bureau.

a. Il . . . . . . une heure du matin.
b. J' . . . . . . rendez-vous avec M. Roy.
c. Pierre, tu . . . . . . de mon avis ?
d. Moi aussi, j' . . . . . . une bonne nouvelle !
e. Mme Léger . . . . . . chez sa fille.
f. Ton ami n' . . . . . . pas sympathique.
g. Elle . . . . . . prête dans trois minutes.
h. Tu . . . . . . fort en mathématiques.

127 **Rayez ce qui est inutile.**

Exemple : Les informations ~~ont~~/sont intéressantes.

a. Les médias ont/sont de nouvelles informations à communiquer.
b. Les magazines ont/sont souvent en couleurs.
c. Les journaux ont/sont des difficultés financières.
d. Les chaînes de télévision ont/sont publiques ou privées.
e. Les radios privées ont/sont trop nombreuses.
f. Les journalistes ont/sont un métier passionnant.
g. Les journaux télévisés ont/sont une grande écoute.
h. Les flashes d'information ont/sont très fréquents.

128 *Être* **ou** *avoir.* **Complétez et retrouvez ces chansons françaises.**

Exemple : Il n'y ***a*** plus d'après. *(Juliette Gréco)*

a. Elles . . . . futées. *(Sacha Distel)*
b. Vous . . . . jolie. *(Charles Trenet)*
c. L'amour . . . . un bouquet de violettes. *(Luis Mariano)*
d. J' . . . . deux amours. *(Joséphine Baker)*
e. Le soleil . . . . rendez-vous avec la lune. *(Charles Trenet)*
f. J' . . . . rendez-vous avec vous. *(Georges Brassens)*
g. Quand tu n' . . . . pas là. *(Gilbert Bécaud)*
h. Je . . . . malade. *(Serge Lama)*

129 **Complétez les phrases avec les verbes suivants :** *avoir besoin, avoir mal, avoir peur, avoir envie, être* **et** *avoir.*

Exemple : Vous vous levez à 5 h 30 ; vous ***êtes*** matinale.

a. Il est minuit, je suis fatigué : j' . . . . sommeil.
b. Pour aller aux États-Unis, tu . . . . d'un visa.
c. Ma collègue arrive toujours à l'heure. Elle . . . . ponctuelle.
d. Le bébé pleure. Il . . . . de manger.
e. Nous arrivons à midi juste. Nous . . . . à l'heure.
f. Mes enfants n'aiment pas l'obscurité. Ils . . . . du noir.
g. Il fait froid : nous . . . . à la gorge.
h. Ses amis vivent seuls ; ils . . . . célibataires.

130 **Transformez selon le modèle.**

Exemple : Le Futuroscope se trouve à Poitiers. → À Poitiers, il y a le Futuroscope.

a. Le Parc d'attractions Astérix est en banlieue parisienne.
→ . . . .
b. L'exposition Cézanne a lieu au Grand Palais.
→ . . . .
c. Le Festival de la bande dessinée est à Angoulême.
→ . . . .

d. Johnny Halliday est à Bercy cet hiver.
→ . . . .
e. La boutique Chanel se trouve avenue Montaigne.
→ . . . .
f. De nombreux touristes italiens viennent à Paris.
→ . . . .
g. Beaucoup d'ambassades sont dans les beaux quartiers.
→ . . . .
h. Les Champs-Élysées se trouvent dans le huitième arrondissement.
→ . . . .

131 *C'est, il est.* **Complétez.**

Exemple : Regarde ! ***C'est*** Gérard Depardieu. ***Il est*** vraiment grand.

a. . . . . . . écrivain. . . . . un très grand artiste.
b. . . . . . . mon professeur. . . . . australien.
c. . . . . . . dentiste. . . . . un homme exceptionnel.
d. . . . . . . mon ami. . . . . musulman.
e. . . . . . . Yves Montand. . . . . un français d'origine italienne.
f. . . . . . . ton voisin. . . . . célibataire ?
g. . . . . . . Jacqueline. . . . . la mère de mon ami.
h. . . . . . . notre médecin.. . . . . très compétent.

132 **Barrez ce qui ne convient pas.**

Exemple : C'est (de la musique/~~musicien~~) classique.

a. Demain c'est (lundi/beau).
b. Il est (minuit/Paul).
c. Il est (un frère/chanteur).
d. C'est (étudiant/un bon professeur).
e. C'est (Laurent/photographe).
f. Il est (un étudiant/médecin généraliste).
g. C'est (une élève douée/catholique).
h. Il est (un beau spectacle/magnifique).

133 *C'est, il est, ce sont, ils sont.* **Complétez.**

Exemple : C'est **une nouvelle exposition sur les impressionnistes.**

a. . . . . . . des tableaux du dix-neuvième siècle.
b. . . . . . . tous très beaux.
c. . . . . . . un siècle particulièrement riche en peinture.
d. . . . . . . les toiles de Monet, Manet et Renoir.
e. . . . . . . un style remarquable.
f. J'adore ce tableau, ... splendide.
g. . . . . . . des peintres renommés.
h. . . . . . . célèbres pour la lumière de leurs tableaux.

134 Faites des phrases selon le modèle.

Exemple : Le Parnasse/mont célèbre.
→ En Grèce, il y a le Parnasse ; c'est un mont célèbre.

a. La Cordillère des Andes/chaîne de montagnes
→ En Amérique latine, ...
b. Le Saint-Laurent/long fleuve
→ Au Canada, ...
c. L'Amazonie/forêt immense
→ Au Brésil, ...
d. L'Everest/grand sommet
→ Au Népal, ...
e. Le Vésuve/volcan actif
→ En Italie, ...
f. Le Sahara/désert important
→ En Afrique du Nord, ...
g. La Corse/île méditerranéenne
→ En France, ...
h. La Laponie/région finlandaise
→ Au Pôle Nord, ...

B. Les verbes en *-ER*

135 Associez les pronoms et les verbes au présent de l'indicatif (parfois plusieurs possibilités).

a. Elles → 3
b. Nous
c. Il
d. Tu
e. Elle
f. Ils
g. Vous
h. Je

1. regarde un film.
2. écoutez une cassette.
3. parlent français.
4. habites en France.
5. déjeunons à une heure.
6. arrive ce soir.
7. étudient en Europe.
8. reste à la maison.

136 Complétez par le pronom qui convient (parfois plusieurs possibilités).

Exemple : ***Je/Il/Elle/On*** téléphone souvent.

a. . . . . travaillons à Lyon.
b. . . . . habitent au deuxième étage.
c. . . . . prépare le repas.
d. . . . . racontez vos vacances.
e. . . . . montres tes photos.
f. . . . . visite la ville.
g. . . . . cherchons un appartement.
h. . . . . répétez encore une fois.

137 Soulignez la forme verbale qui convient.

Exemple : Elle passes/passent/passe ses vacances avec toi.

a. Ils détestes/détestent/déteste la montagne.
b. Tu adore/adores/adorent la campagne.
c. Nous préférons/préférez/préfère le club de vacances.
d. Vous aimez/aiment/aimes beaucoup les voyages.
e. Je skie/skies/skient trois heures par jour.
f. Il rencontres/rencontrent/rencontre des touristes.
g. Elle voyage/voyages/voyagent en avion.
h. On bronze/bronzent/bronzes vite sur la plage.

138 Complétez avec les verbes entre parenthèses.

Exemple : (copier) Elle ***copie*** toutes les fiches sur disquette ?

a. (ranger) Vous . . . . le dossier Bayard ?
b. (photocopier) Tu . . . . les documents ?
c. (faxer) Je . . . . à la société Pradel ?
d. (classer) Nous . . . . les factures ?
e. (utiliser) Vous . . . . l'ordinateur ?
f. (présenter) Le directeur . . . . M. Léger, des magasins Bouchard.
g. (télexer) Olivier . . . . à la banque.
h. (téléphoner) Mon collègue . . . . au service "Clientèle".

139 Répondez personnellement à cette enquête sur les goûts.

Exemple : D'habitude, vous écoutez de la musique classique, du jazz, de la techno ?
→ ***J'écoute de l'opéra.***

a. En général, vous regardez des films policiers, d'horreur ou d'aventure ?
→ . . . .
b. Normalement, vous mangez plutôt de la cuisine chinoise, italienne ou française ?
→ . . . .
c. En général, vous préférez le vin rouge, le blanc ou le rosé ?
→ . . . .
d. En vacances, vous pratiquez un sport collectif ou individuel ?
→ . . . .
e. Le samedi soir, vous invitez des amis chez vous ou vous dînez à l'extérieur ?
→ . . . .
f. Vous passez votre dimanche en famille, seul ou chez des amis ?
→ . . . .
g. L'été, vous portez généralement des pantalons, des shorts ou des jupes ?
→ . . . .
h. En général, vous fêtez Noël en ville, à la campagne ou bien à la montagne ?
→ . . . .

140 Complétez avec les terminaisons manquantes.

Exemple : Nous travaill***ons*** trente-neuf heures par semaine.

a. Mes collègues et moi déjeun. . . . à treize heures.
b. Dominique arriv. . . . au bureau à 8 h 45.
c. Les employés termin. . . . leur travail à 18 heures.
d. Le président d'IBM dirig. . . . une entreprise de 18 000 salariés.
e. Les professeurs demand. . . . une augmentation de salaire.
f. Le personnel administratif appréci. . . . son nouveau directeur.
g. Vous appel. . . . tout de suite le chef du personnel.
h. Pierre, tu engag. . . . deux jeunes pour l'été ?

141 Transformez les phrases selon le modèle.

Exemple : Corrigez les fautes ! → Entendu, ***nous corrigeons les fautes.***

a. Rangez les livres !
→ D'accord, ...
b. Recommencez l'exercice !
→ Entendu, ...
c. Changez de places !
→ Bien, ...
d. Déplacez l'ordinateur !
→ Pourquoi pas ! . . . .
e. Partagez le travail !
→ Excellente idée, ...
f. Prononcez plus clairement !
→ O.K, ...
g. Remplacez le matériel !
→ Bonne idée, ...
h. Engagez des professeurs !
→ Entendu, ...

142 Complétez avec les verbes entre parenthèses.

Exemple : Jeanne ***essaie*** de comprendre, son frère et moi ***essayons*** de traduire. (essayer)

a. Moi, j' . . . . le dessert et vous, vous . . . . la boisson. (acheter)
b. Nous, nous . . . . l'hôpital et toi, tu . . . . le médecin. (appeler)
c. Pierre, tu . . . . par carte ; nous, nous . . . . en espèces. (payer)
d. Les enfants, vous . . . . les assiettes et papa . . . . les verres. (essuyer)
e. Je ne . . . . jamais les vieux journaux, mais Jacques et toi . . . . les magazines. (jeter)
f. Nous . . . . des cartes de vœux à Noël mais personnellement, je n' . . . . jamais de cartes d'anniversaire. (envoyer)
g. Ma sœur . . . . aller au cinéma seule ; Laurent et moi . . . . y aller ensemble. (préférer)
h. Moi, j' . . . . le mot : maire, et vous, vous . . . . le mot : mère. (épeler)

C. Les verbes en *-ir*

143 **Soulignez les verbes qui ne se terminent pas par** *-issons, -issez, -issent* **au pluriel.**

Exemple : servir : ***nous servons, vous servez, ils servent.***

avertir	sortir	découvrir	ouvrir
servir	applaudir	atterrir	agir
garantir	offrir	réunir	tenir
établir	finir	rougir	adoucir
dormir	raccourcir	venir	partir
cueillir	devenir	courir	mourir

144 **Barrez le pronom incorrect.**

Exemple : ~~Elle~~/ils réfléchissent au problème ?

a. Il/Ils franchit la ligne d'arrivée.
b. J'/Vous applaudissez rarement !
c. Tu/Vous affranchis l'enveloppe à 2,80 francs.
d. Elle/Elles approfondissent le sujet.
e. Nous/On finissons à 18 heures.
f. Je/Il ralentis sous la pluie.
g. Vous/Nous choisissons le menu.
h. Tu/On atterrit dans quinze minutes.

145 **Tutoyez ! Remplacez** *vous* **par** *tu.*

Exemple : Vous dormez peu ou beaucoup ? → ***Tu dors*** peu ou beaucoup ?

a. Vous servez le fromage ou le dessert ? ....
b. Vous partez en train ou en avion ? ....
c. Vous sentez *Opium* ou *Paris* d'Yves Saint-Laurent ?. ....
d. Vous sortez vendredi ou samedi soir ?. ....
e. Vous courez au bois de Vincennes ou en ville ?. ....
f. Vous ouvrez la porte ou la fenêtre ?. ....
g. Vous venez de Corée ou de Thaïlande ?. ....
h. Vous offrez des chocolats ou des fleurs ?. ....

146 **Mettez les verbes au présent.**

Exemple : Dans les squares, les roses ***fleurissent*** (fleurir) et les arbres ***verdissent*** (verdir).

a. Les pigeons .... (envahir) les villes et .... (salir) les monuments.
b. Votre quartier .... (embellir) d'année en année et .... (devenir) très agréable.
c. Les bureaux .... (ouvrir) à 9 h et les employés .... (finir) à 18 h.
d. Les immeubles du centre-ville .... (noircir) et la mairie ne .... (réagir) pas.
e. Les ouvriers .... (élargir) la rue et .... (recouvrir) la chaussée de goudron.
f. Les jours .... (raccourcir) en hiver et la lumière .... (pâlir).
g. Mon frère .... (découvrir) son nouvel arrondissement et .... (sortir) chaque soir.
h. En été, les fruits .... (mûrir) et nous les .... (cueillir) en septembre.

147 **Reliez les différents éléments (parfois plusieurs possibilités).**

a. Mon voisin → 2. part travailler en Afrique.
b. Vous
c. Claire et moi
d. Tes parents
e. Son fils
f. Les amis d'Anne
g. Je
h. M. et Mme Léger

1. obéissez à ses ordres ?
2. part travailler en Afrique.
3. tiennent un restaurant.
4. réunis tout le personnel.
5. viennent à Paris ?
6. ne court jamais.
7. grossissons facilement.
8. devenez riche.

D. Les verbes en *-re* et *-oir*

148 **Soulignez les verbes qui se conjuguent avec trois radicaux.**
Exemple : prendre : ***je prends, nous prenons, ils prennent.***

écrire	devoir	lire	boire	décevoir
mettre	entendre	inscrire	savoir	naître
répondre	recevoir	connaître	vendre	vivre
prendre	voir	pouvoir	vouloir	battre
traduire	construire	attendre	plaire	prévoir

149 **Associez les pronoms au reste de la phrase (parfois plusieurs possibilités).**

a. Je → 2. mets la table
b. Vous
c. Ils
d. On
e. Nous
f. Elle
g. Tu
h. Elles

1. répondons aux questions
2. mets la table
3. vois la voiture, là-bas ?
4. lit le journal.
5. promettons de venir.
6. élisent le représentant des élèves.
7. croyez François ?
8. vends la maison.

150 **Répondez aux questions suivantes.**
Exemple : Vous connaissez l'italien ? → Non, je ***connais*** l'espagnol.

a. Vous lisez *Le Nouvel Observateur* ? Non, je . . . . *L'Express.*
b. Vous conduisez une Citroën ? Non, je . . . . une Renault.
c. Vous suivez un cours de danse ? Non, je . . . . un cours de chant.
d. Vous mettez une heure pour venir ? Non, je . . . . une demi-heure.
e. Vous peignez la chambre ? Non, je . . . . la cuisine.
f. Vous inscrivez votre enfant ? Non, j' . . . . mon neveu.
g. Vous voyez Patrick ce soir ? Non, je . . . . Claude.
h. Vous perdez votre argent ? Non, je . . . . mon temps.

151 Complétez les phrases avec le verbe entre parenthèses.

Exemple : Je ***joins*** le directeur et vous ***joignez*** le chef du personnel. (joindre)

a. Dans la classe, les élèves . . . . la sonnerie mais le professeur ne l' . . . . pas. (entendre)
b. Habituellement, j' . . . . l'ordinateur à 18 heures, mes collègues l' . . . . plus tôt. (éteindre)
c. La directrice . . . . ce logiciel, mais les secrétaires ne le . . . . pas. (connaître)
d. Les employés de l'ambassade . . . . les documents et moi je . . . . le courrier. (traduire)
e. Les ouvriers . . . . près de l'usine et leur patron . . . . à la campagne. (vivre)
f. Les experts . . . . une relance de l'économie mais moi je . . . . une légère baisse de régime. (prévoir)
g. Mes enfants . . . . chanter, mais mon mari ne . . . . pas. (savoir)
h. Je . . . . la région et vous . . . . les monuments. (décrire)

152 Mettez les verbes au présent.

Exemple : Je regrette, ils ***doivent*** (devoir) rentrer tôt.

a. Je . . . . (prendre) un dessert.
b. Les enfants . . . . (boire) un chocolat chaud.
c. Mon mari et moi . . . . (vouloir) la carte, s'il vous plaît.
d. Qu'est-ce que vous . . . . (prendre) ?
e. Est-ce que je . . . . (pouvoir) régler, s'il vous plaît ?
f. Nous . . . . (recevoir) des amis ce soir.
g. Les voisins . . . . (venir) dîner à la maison.
h. Désolé, nous . . . . (devoir) déjeuner chez mes parents.

153 *Pouvoir, vouloir, devoir.* Complétez ce dialogue et conjuguez ces verbes.

– Est-ce que je . . . . (a) vous aider ?
– Oui, je . . . . (b) un téléphone Bibop.
– Bien sûr. Vous . . . . (c) me suivre ?
– Voici tous nos téléphones portables.
– Ma femme et moi . . . . (d) téléphoner très souvent pour notre travail. Nous . . . . (e) l'essayer ?
– Certainement. Nos clients . . . . (f) toujours faire un essai.
– Celui-ci est très bien. Vous . . . . (g) l'utiliser quand vous . . . . (h) et où vous . . . . (i).
– Parfait. Je vous . . . .(j) combien ?

154 Du singulier au pluriel.

Exemple : Je reçois des coups de fil → ***Ils reçoivent*** des coups de fil.

a. Tu bois un café. → Nous . . . .
b. Il prend l'avion à 18 heures. → Ils . . . .
c. Elle peut payer par carte ? → Elles . . . .
d. Tu reçois des lettres. → Vous . . . .
e. Je dois partir. → Ils . . . .
f. Il vient à pied. → Nous . . . .
g. Tu veux ce livre. → Elles . . . .
h. Elle boit aussi du vin. → Elles . . . .

E. Tous types de verbes

155 Reliez les éléments pour en faire des phrases (parfois plusieurs possibilités).

Elles	a. vais	1. aux États-Unis.
Sophie	b. dites	2. en retard.
Il	c. sommes	3. de froid
Dominique	d. revient	4. François ?
Vous	e. t'appelles	5. les valises.
Nous	f. font	6. "merci"
Je	g. meurt	7. du Congo
Tu	h. croit	8. aux fantômes

156 Complétez les phrases et retrouvez ces expressions et proverbes français.

Exemple : Vous ***faites*** (faire) toujours la tête.

a. Je . . . . (jeter) l'argent par la fenêtre.
b. Mon mari . . . . (prendre) toujours le taureau par les cornes.
c. On . . . . (lever) le coude.
d. Paul . . . . . . (mettre) de l'eau dans son vin.
e. La vérité . . . . (sortir) de la bouche des enfants.
f. Mes parents . . . . (payer) rubis sur l'ongle.
g. Tu . . . . (vendre) la mèche ?
h. Tous les chemins . . . . (mener) à Rome.

157 Rayez la forme verbale incorrecte et retrouvez les titres de ces films français.

Exemple : Il ~~es~~/est minuit docteur Schweitzer. *(André Haguet)*

a. On vit/vis une époque formidable. *(Gérard Jugnot)*
b. Le jour se lève/lèves. *(Marcel Carné)*
c. Nous êtes/sommes tous des assassins. *(André Cayatte)*
d. Tous les garçons s'appellent/appelles Patrick. *(Jean-Luc Godard)*
e. Je savent/sais rien mais je dirai tout. *(Pierre Richard)*
f. Paris brûle/brûles-t-il ? *(René Clément)*
g. L'année prochaine si tout va/vont bien. *(Jean-Loup Hubert)*
h. Les bronzés faites/font du ski. *(Patrice Leconte)*

158 Barrez le pronom qui ne convient pas et retrouvez ces chansons françaises.

Exemple : ~~Nous~~/Il me dit que je/~~tu~~ suis belle. *(Patricia Kaas)*

a. Vous/Ils oubliez votre cheval. *(Charles Trenet)*
b. À quoi il/tu sers ? *(Jean-Jacques Goldman)*
c. Elle/Elles écoute pousser les fleurs. *(Francis Cabrel)*
d. Et si je/tu m'en vais. *(Étienne Daho)*
e. Je/Tu suis sous. *(Claude Nougaro)*
f. J'/On ai rendez-vous avec vous. *(Georges Brassens)*
g. Vous/Je dors avec elle. *(Julien Clerc)*
h. Il/Nous pleut dans ma chambre. *(Charles Trenet)*

159 Retrouvez les infinitifs des verbes conjugués.

Exemple : Je cueille quelques fruits → ***cueillir.***

a. Vous paraissez très préoccupée → ....
b. Nous écrivons à notre père → ....
c. Est-ce qu'elle attend depuis longtemps ? → ....
d. Ils mentent de plus en plus → ....
e. Qu'est-ce que tu préfères ? → ....
f. Les magasins ouvrent à quelle heure ? → ....
g. Les livreurs promettent de passer tôt → ....
h. Ces fleurs sentent bon → ....

160 Tutoyez ou vouvoyez.

Exemples : Tu vois la fille, là-bas ? → ***Vous voyez*** la fille, là-bas ?
Vous finissez le gâteau ? → ***Tu finis*** le gâteau ?

a. Vous étudiez les langues ? → ....
b. Tu remplis les papiers ? → ....
c. Tu dois partir à l'heure ? → ....
d. Vous allez au concert ? → ....
e. Vous pouvez me donner du feu ? → ....
f. Tu dis au revoir aux voisins ? → ....
g. Tu fais la cuisine ? → ....
h. Vous craignez l'orage ? → ....

161 Répondez librement aux questions suivantes.

Exemple : Le matin, partez-vous le premier de chez vous ? → Non, je pars le dernier.

a. Êtes-vous propriétaire ou locataire de votre logement ? → ....
b. Rendez-vous service à vos voisins ? → ....
c. Prenez-vous l'ascenseur pour monter chez vous ? → ....
d. Habitez-vous dans une petite ou une grande ville ? → ....
e. Faites-vous les courses dans votre quartier ? → ....
f. Connaissez-vous vos voisins ? → ....
g. Vivez-vous seul dans votre appartement ? → ....
h. Allez-vous chez vos voisins quand ils font du bruit ? → ....

162 Du pluriel au singulier.

Exemple : Vous mourez de fatigue ? → ***Tu meurs*** de fatigue.

a. Ils souffrent des dents. → . . . .
b. Nous restons au lit. → . . . .
c. Elles ne connaissent pas ce médicament. → . . . .
d. Vous toussez beaucoup ? → . . . .
e. Ils n'ont pas bonne mine. → . . . .
f. Vous suivez un traitement. → . . . .
g. Ils se sentent mal. → . . . .
h. Nous devons prendre rendez-vous chez le médecin. → . . . .

163 Complétez par un verbe conjugué ou à l'infinitif.

Exemple : Pour le cocktail, je ***mets*** (mettre) mon smoking.

a. Cet été, les jupes . . . . (raccourcir).
b. Ces boucles d'oreilles . . . . (aller) très bien avec mon tailleur.
c. Cette robe longue . . . . (allonger) ta silhouette.
d. Le noir . . . . (amincir) les personnes un peu fortes.
e. L'hiver, nous . . . . (grossir) toujours d'un kilo.
f. Ils ne . . . . (pouvoir) pas . . . . (porter) ces cravates ridicules.
g. Malheureusement, je . . . . (devoir) . . . . (élargir) ce pantalon.
h. Je n'ai pas de chance : mes pulls . . . . (rétrécir) toujours au lavage.

164 Du singulier au pluriel.

Exemple : Tu joues au tennis ? → ***Vous jouez*** au tennis ?

a. Je ne pratique pas de sport. → . . . .
b. Elle fait du ski nautique. → . . . .
c. Tu aimes les sports d'équipe ? → . . . .
d. Il boxe depuis longtemps ? → . . . .
e. Elle prend des cours de danse. → . . . .
f. Tu cours tous les jours ? → . . . .
g. Je nage depuis l'âge de cinq ans. → . . . .
h. Tu sais jouer au golf ? → . . . .

165 Mettez à la forme qui convient.

Exemple : Tu ***réserves*** (réserver) des places pour l'exposition Matisse.

a. Le rideau . . . . (se lever) et les comédiens . . . . (apparaître).
b. On . . . . (jouer) ce spectacle depuis six mois car il . . . . (faire) un tabac.
c. La représentation . . . . (commencer) à 20 h 30 et les spectateurs . . . . (être) déjà dans la salle.
d. Les musiciens . . . . (interpréter) une œuvre de Ravel pendant que les danseurs . . . . (répéter).

e. Les spectateurs . . . . (applaudir) les artistes et . . . . (appeler) le metteur en scène.

f. Les comédiens . . . . (saluer) le public et . . . . (partir) dans leur loge.

g. Dans *La Reine Margot,* Isabelle Adjani . . . . (tenir) le rôle principal et son partenaire . . . . (s'appeler) Vincent Pérez.

h. Ce chanteur . . . . (avoir) beaucoup de succès et ses chansons . . . . (plaire) aux jeunes.

166 Complétez par – *er* ou – *ez.*

Exemple : **Vous dev*ez* régl*er* votre consommation, s'il vous plaît.**

a. Vous désir. . . pay. . . par chèque ou par carte ?

b. Voul. . . -vous déjeun. . . près de la fenêtre ou bien ici ?

c. Est-ce que vous pouv. . . all. . . cherch. . . mes affaires ?

d. Souhait. . . -vous réserv. . . une table pour quatre ?

e. Est-ce que vous pouv. . . me montr. . . le dernier album de Jacques Dutronc ?

f. Désolé, je dois vous quitt. . . À demain.

g. J'aimerais goût. . . ce fromage, s'il vous plaît.

h. Je n'aime pas devoir mang. . . rapidement.

167 Faites des phrases à partir des titres de journaux.

Exemple : Rentrée des classes le 4 septembre.

→ Les enfants rentrent en classe le 4 septembre.

a. Départ en vacances des Parisiens au mois d'août.

→ . . . .

b. Arrivée aujourd'hui du Tour de France.

→ . . . .

c. Ouverture en octobre de l'exposition Picasso.

→ . . . .

d. Augmentation des prix le 1er août.

→ . . . .

e. Fermeture de l'autoroute A6 pendant quinze jours.

→ . . . .

f. Sortie aujourd'hui du film *Le Hussard sur le toit.*

→ . . . .

g. Début des négociations entre syndicats et patronat.

→ . . . .

h. Baisse du prix de l'essence.

→ . . . .

168 Associez les éléments pour retrouver ces expressions (parfois plusieurs possibilités).

a. Vous
b. On
c. Tu
d. Elles
e. Je
f. Paul et Marc
g. Nous
h. Ses amis

1. nageons comme des poissons.
2. se serrent la ceinture.
3. jouent avec le feu.
4. pleurez comme une madeleine.
5. connaissons la musique.
6. l'achète pour une bouchée de pain.
7. paies les pots cassés.
8. filent à l'anglaise.

169 Choisissez le bon verbe et mettez-le à la forme correcte.

Exemple : *Venir/arriver.*

– Claude ***vient*** me chercher à l'aéroport avec sa femme.
– Mon amie ***arrive*** à 13 h 55 à la gare de Lyon.

a. *Dire/parler.*
– J'entends beaucoup . . . . de ce film.
– On ne . . . . pas " excusez-moi ", mais " veuillez m'excuser ".

b. *Entendre/écouter.*
– Je n' . . . . jamais la sonnerie du réveil.
– Tous les matins, j' . . . . les informations à la radio.

c. *Partir/sortir.*
– Il . . . . de son bureau toujours énervé.
– Nous . . . . pour l'Australie en août.

d. *Savoir/connaître.*
– Nous . . . . les écrivains français du XIXe siècle.
– Ils ne . . . . pas parler français.

e. *Mettre/prendre.*
– Ils . . . . une heure pour aller à l'université.
– Le matin, je . . . . une douche froide pour me réveiller.

f. *Pouvoir/devoir/falloir.*
– Pour passer le permis de conduire, il . . . . avoir dix-huit ans.
– Vous . . . . prendre des cours de conduite.
– Vous . . . . passer votre permis au bout de vingt-cinq heures de conduite.

g. *Voir/regarder.*
– Nous . . . . nos parents tous les dimanches.
– Vous . . . . l'émission « 7 sur 7 » tous les dimanches.

h. *Faire/vouloir.*
– Je . . . . garder mon enfant trois jours par semaine.
– Elles . . . . travailler à mi-temps pour s'occuper aussi de leurs enfants.

170 **Complétez par les verbes entre parenthèses et retrouvez les Droits de l'homme.**

Exemple : Tout individu ***a*** (avoir) droit à la vie, à la liberté et à la sûreté de sa personne. *(article 3)*

a. Tous les êtres humains . . . . (naître) libres et égaux en dignité et en droits. Ils . . . . (être) doués de raison et de conscience et . . . . (devoir) agir les uns envers les autres dans un esprit de fraternité. *(article 1).*

b. Nul ne . . . . (pouvoir) être arbitrairement arrêté, détenu ou exilé. *(article 9).*

c. Devant la persécution, toute personne . . . . (avoir) le droit de chercher asile et de bénéficier de l'asile en d'autres pays. *(article 14).*

d. Tous . . . . (avoir) droit, sans aucune discrimination à un salaire égal pour un travail égal. *(article 23).*

e. Toute personne . . . . (avoir) droit à l'éducation. L'éducation . . . . (devoir) être gratuite au moins en ce qui concerne l'enseignement élémentaire et fondamental. *(article 26).*

F. Le présent progressif

171 **Écrivez au présent progressif les verbes suivants.**

Exemple : Je peux vous aider ? → Non merci, je ***suis en train de regarder.***

a. Vous êtes libre ? → Désolé, je . . . . (servir) cette cliente.

b. Ma viande est prête ? → Un instant, il . . . . (préparer) votre rosbif.

c. Je peux avoir mon pull, s'il vous plaît ? → Une minute s'il vous plaît, la vendeuse. . . . . (faire) un paquet cadeau.

d. Une baguette, s'il vous plaît ? → Désolé, le pain . . . . (cuire).

e. Nous venons chercher nos photos ? → Excusez-moi, mais les techniciens. . . . . (développer) vos photos. Revenez dans quinze minutes.

f. J'ai rendez-vous avec le docteur Chenay. → Oui, il . . . . (soigner) une patiente et vous passez après.

g. Nous aimerions parler au directeur de ce supermarché. → Mais vous . . . . (parler) au directeur.

h. Je voudrais, euh ! → Alors, petit, tu . . . . (hésiter) devant tous ces gâteaux ?

172 Transformez les phrases en utilisant *en train de* selon le modèle.

Exemple : N'utilisez pas l'électricité, les ouvriers réparent des appareils électriques.

→ N'utilisez pas l'électricité, les ouvriers ***sont en train de*** réparer des appareils électriques.

a. Ne passez pas, s'il vous plaît, je prends une photo.

→ . . . .

b. Ne faites pas de bruit, le bébé dort.

→ . . . .

c. Ne bougez pas, le peintre fait votre portrait.

→ . . . .

d. Ne téléphonez pas à cette heure-ci, les employés déjeunent.

→ . . . .

e. Ne dérangeons pas la gardienne, elle regarde la télévision.

→ . . . .

f. Ne prenez pas cette rue, nous agrandissons la chaussée.

→ . . . .

g. Ne sortez pas, il pleut.

→ . . . .

h. Ne rentrez pas dans la salle de bains, Claire se douche.

→ . . . .

173 Répondez librement.

Exemple : Qu'est-ce que vous cuisinez ?

→ Je suis en train de cuisiner un canard à l'orange.

→ Nous sommes en train de cuisiner un canard à l'orange.

a. À quoi tu goûtes ? . . . .

b. Qu'est-ce que vous mangez ? . . . .

c. Qu'est-ce qu'il met dans l'assiette ? . . . .

d. Qu'est-ce que vous coupez ? . . . .

e. Qu'est-ce qu'elles prennent ? . . . .

f. À qui parle-t-il ? . . . .

g. Qu'est-ce que tu sers ? . . . .

h. Qu'est-ce que tu mélanges ? . . . .

G. Les verbes pronominaux

174 Associez les éléments pour en faire des phrases (parfois plusieurs possibilités).

a. Je	1. t'habilles toujours en noir.
b. Marie	2. nous changeons pour la soirée chez Baptiste.
c. Vous	3. m'épile les jambes l'été.
d. Les enfants	4. se parfume beaucoup.
e. Tu	5. vous regardez souvent dans la glace.
f. Ils	6. me maquille très peu.
g. Nous	7. te rases tous les matins ?
h. Olivier et moi	8. se lavent fréquemment les cheveux.

175 Complétez par le pronom manquant.

Exemple : Ma fille et son fils ***s'***aiment énormément.

a. Ma mère et moi . . . . . . adorons.
b. Ses enfants et les miens . . . . . . connaissent très bien.
c. Mon frère et mon mari . . . . . . détestent.
d. Ton ami et toi . . . . . . mariez bientôt ?
e. Mon cousin et Julien . . . . . . voient régulièrement.
f. Mes parents . . . . . . disputent de temps en temps.
g. Ton père et toi . . . . . . écrivez chaque semaine ?
h. Sa sœur et moi . . . . . . appelons par nos prénoms.

176 Que faites-vous ? Utilisez des verbes pronominaux.

Exemple : À 7 h, ***je me réveille*** (se réveiller).

a. À 7 h 30, ... (se lever).
b. À 8 h, ... (se laver).
c. À 8 h 30, ... (s'habiller).
d. À 9 h, ... (s'en aller) au bureau.
e. À 9 h 30, ... (se mettre) au travail.
f. À 13 h 30, ... (s'arrêter) de travailler.
g. À 15 h, ... (s'occuper) des clients.
h. À 18 h, ... (se presser) pour rentrer chez moi.

177 **Répondez selon le modèle.**

Exemple : Elle se dépêche le matin mais vous, ***vous vous dépêchez le soir.***

a. Ils s'occupent des enfants le mercredi mais moi, ...
b. Je m'intéresse à la peinture mais elle, ...
c. François se souvient de ses professeurs mais toi, ...
d. Tu te moques de ces filles mais vous, ...
e. Nous nous absentons lundi mais lui, ...
f. Vous vous promenez au jardin du Luxembourg mais nous, ...
g. Elle s'appelle Christine mais elles, ...
h. Les voisins se couchent tôt mais eux, ...

Bilan

178 **Complétez par les verbes qui sont entre parenthèses.**

– Bonjour monsieur, je . . . . (s'appeler) mademoiselle Sabin, je . . . . (venir) pour visiter votre appartement.
– Entrez, je vous . . . . (prier). Excusez-moi, je . . . . (être en train de repeindre) la cuisine. Un instant, je . . . . (s'essuyer) les mains. Alors, voici la cuisine. Elle . . . . (faire) huit mètres carrés. Vous . . . . (pouvoir) y manger.
– Elle . . . . (sembler) sombre.
– Le matin, oui ; mais vous . . . . (avoir) le soleil l'après-midi. Nous . . . . (passer) à présent dans la salle à manger. La superficie . . . . (être) de vingt-cinq mètres carrés. Comme vous le . . . . (voir), il y . . . . (avoir) une cheminée.
– Est-ce que je . . . . (pouvoir) regarder par la fenêtre ?
– Oui. Ça . . . . (donner) sur la rue. La chambre . . . . (être) petite mais on y . . . . (dormir) au calme. Les placards . . . . (être) à droite. Dernière chose : la salle de bains. Baignoire, bidet, W.-C. Voilà.
– Bien. Je crois que je le . . . . (prendre).
– Qu'est-ce que vous . . . . (faire) dans la vie ?
– Je suis informaticienne.
– Bon, vous . . . . (connaître) mon adresse et mon numéro de téléphone. Nous . . . . (se contacter) la semaine prochaine et nous . . . . (prendre) un nouveau rendez-vous. Ça vous . . . . (aller) ?
– Parfait. Il . . . . (falloir) que je parte. Au revoir, monsieur.

V. LA NÉGATION

On ne fait pas d'omelette sans casser d'œufs.

A. NE... PAS OU N'... PAS

179 *Ne* ou *n'*. **Complétez.**

Exemple : Sylvie est maigre → C'est vrai, elle ***n'***est pas grosse.

a. Pierre est laid. → C'est vrai, il . . . . est pas beau.
b. Ça sent mauvais ici. → Oui, ça . . . . sent pas la rose.
c. Ce garçon est bête. → Oui, il . . . . a pas inventé l'eau chaude.
d. Il fait froid. → Oui, on . . . . meurt pas de chaleur.
e. C'est bon. → C'est vrai, je . . . . déteste pas ça.
f. Ils sont indifférents. → C'est vrai, ils . . . . ont pas l'air intéressé.
g. Elles semblent fermées. → Oui, elles . . . . sont pas très communicatives.
h. Elle est malade. → Oui, elle . . . . a pas bonne mine.

180 **Remettez les phrases dans l'ordre.**

Exemple : pas/le/n'/vous/Minitel/avez. → Vous n'avez pas le Minitel.

a. je/pas/ces/classe/dossiers/ne → . . . .
b. pas/prêt/tu/es/n'/l'/pour/examen → . . . .
c. habite/n'/la/France/pas/Marie → . . . .
d. ne/parlons/pas/nous/allemand → . . . .
e. libres/sont/ne/pas/le/elles/samedi → . . . .
f. connaissez/pas/le/nouveau/présentateur/ne/vous → . . . .
g. ne/sommes/d'/accord/avec/pas/nous/vous → . . . .
h. pas/ils/mariés/sont/ne → . . . .

181 **Répondez par des phrases négatives.**

Exemple : Vous pouvez venir samedi ? → Non, nous ***ne*** pouvons ***pas*** venir samedi.

a. Est-ce que je dois revenir ? → Non, ...
b. Veux-tu sortir ? → Non merci, ...
c. Nous avons le droit d'entrer ? → Désolé, ...
d. Il faut promener le chien ? → Non, ...
e. C'est possible ? → Je regrette, ...
f. Vous avez envie de manger ? → Non merci, ...
g. Ils sont libres ? → Malheureusement, ...
h. Elles savent parler italien ? → Désolé, ...

182 Dites le contraire.

Exemple : On parle la bouche pleine. → On ***ne*** parle ***pas*** la bouche pleine.

a. On met les coudes sur la table . . . .
b. Souffler sur la soupe, ça se fait . . . .
c. On sauce son assiette . . . .
d. Manger avec les doigts, c'est poli . . . .
e. On chante à table . . . .
f. On aspire les spaghettis . . . .
g. On se mouche à table . . . .
h. On noue sa serviette autour du cou . . . .

183 Corrigez les affirmations suivantes.

Exemple : Le comédien chante à l'opéra. → Le comédien ***ne*** chante ***pas*** à l'opéra.

a. Juliette Binoche est une actrice suisse . . . .
b. On applaudit au milieu d'un spectacle . . . .
c. Un metteur en scène dirige les musiciens . . . .
d. Le costumier s'occupe des jeux de lumière . . . .
e. L'ouvreuse vend les places de théâtre . . . .
f. Le producteur fabrique les costumes . . . .
g. Le chef d'orchestre finance le film . . . .
h. La diva filme les acteurs . . . .

B. *NE... PAS* + CHANGEMENT DE DÉTERMINANT

184 Faites des réponses négatives.

Exemple : Tu suis des cours de français ? → Non, je ***ne*** suis ***pas de*** cours de français.

a. Vous préparez un concours d'entrée ? . . . .
b. Tu remplis une fiche d'inscription ? . . . .
c. Elle obtient un diplôme ? . . . .
d. Nous prenons des cours particuliers ? . . . .
e. Vous poursuivez des études ? . . . .
f. Je donne un cours d'anglais à 14 heures ? . . . .
g. Ils ont des examens ? . . . .
h. Il a des professeurs intéressants ? . . . .

185 Répondez négativement.

Exemple : Est-ce que tu prends des œufs ? → Non, je ***ne*** prends ***pas d'***œuf.

a. Tu mets du sucre dans ton café ? . . . .
b. Vous mangez du pain à tous les repas ? . . . .
c. Vous prenez des pâtes à midi ? . . . .
d. Il y a de la mayonnaise dans le sandwich ? . . . .

e. Tu veux du miel ? . . . .
f. Il y a des lardons dans la salade ? . . . .
g. Tu bois de l'eau avec le fromage ? . . . .
h. Est-ce qu'il y a de l'ail dans la sauce ? . . . .

186 *Trop, assez, beaucoup.* **Donnez une réponse.**

Exemple : Vous avez des élèves (trop) → Je ***n'***ai ***pas trop d'***élèves.

a. As-tu du temps ? (beaucoup) . . . .
b. Elle a des rendez-vous ? (assez) . . . .
c. Est-ce que tu fais du sport ? (trop) . . . .
d. Vous faites des bénéfices ? (assez) . . . .
e. Nous avons du travail ? (trop) . . . .
f. Est-ce que tu vois des films? (trop) . . . .
g. Les enfants ont de l'argent ? (assez) . . . .
h. Tes amis ont des congés ? (beaucoup) . . . .

187 **Rayez ce qui est inutile.**

Exemple : Tu mets la table ? → Je ne mets pas la/~~de~~ table.

a. Vous aimez l'oignon ? → Je n'aime pas l'/d'oignon.
b. Il achète des pizzas ? → Il n'achète pas les/de pizzas.
c. Il y a un cheveu dans la soupe ? → Il n'y a pas le/de cheveu dans la soupe.
d. Il y a de l'eau fraîche ? → Il n'y a pas l'/d' eau fraîche.
e. J'aime beaucoup le chocolat. → Je n'aime pas beaucoup le/de chocolat.
f. Vous mangez de la salade ? → Je ne mange pas la/de salade.
g. Nous détestons les épices. → Nous ne détestons pas les/d'épices.
h. Tu goûtes la sauce ? → Je ne goûte pas la/de sauce.

C. *NE... PLUS, NE... RIEN, NE... PERSONNE, NE... JAMAIS, NE... AUCUN, NE... NI... NI, SANS, NE... QUE*

188 **Associez les questions et les réponses.**

a. Tu as encore ta vieille 2 CV ?
b. Il y a quelqu'un ici ?
c. Vous enregistrez quelque chose ce soir à la télévision ?
d. Tu travailles toujours à la Fnac ?
e. Vous écoutez quelquefois Debussy ?
f. Connaissez-vous du monde ?
g. Vous cherchez quelqu'un ?
h. Tu fais quelque chose de spécial cet été ?

1. Je ne cherche personne.
2. Je n'y travaille plus.
3. Je ne fais rien.
4. Je n'ai plus de voiture.
5. Il n'y a personne.
6. Je n'ai aucun ami.
7. Je n'écoute jamais ce compositeur.
8. Il n'y a rien d'intéressant.

189 *Rien* **ou** *personne.* **Répondez négativement.**

Exemple : Quelqu'un crie ? → Mais, ***personne ne*** crie !

a. Quelqu'un parle ? . . . .
b. Quelque chose bouge ? . . . .
c. Quelqu'un regarde ? . . . .
d. Quelque chose s'allume ? . . . .
e. Quelqu'un pleure ? . . . .
f. Quelque chose gêne ? . . . .
g. Quelque chose fonctionne ? . . . .
h. Quelqu'un écoute ? . . . .

190 **Répondez par** *ne...rien* **ou** *ne...personne* **accompagné d'une préposition :** *à, avec, contre, de, en.*

Exemple : À quoi réfléchis-tu? → Je ***ne*** réfléchis ***à rien.***

a. À qui écris-tu ? . . . .
b. Avec qui travailles-tu ? . . . .
c. De quoi parlez-vous ? . . . .
d. En qui avez-vous confiance ? . . . .
e. De quoi discutez-vous ? . . . .
f. Contre qui es-tu fâché ? . . . .
g. Pour qui chantez-vous ? . . . .
h. À quoi penses-tu ? . . . .

191 **Répondez aux questions selon l'exemple.**

Exemple : Tu es déjà allé à Paris ? → Je ***ne*** suis ***jamais*** allé à Paris.

a. Tu travailles encore le samedi ? . . . .
b. Vous voulez quelque chose ? . . . .
c. Tu passes de temps en temps par la rue de Buci ? . . . .
d. Vous avez des problèmes ? . . . .
e. Elle vit toujours avec Laurent ? . . . .
f. Ils vont parfois au restaurant chinois ? . . . .
g. On a des projets ? . . . .
h. Vous invitez souvent les voisins ? . . . .

192 **Faites le portrait de ce monsieur. Complétez par des phrases négatives.**

Exemple : Monsieur Pageot ***n'***est ***jamais*** content !

a. Le directeur de mon école . . . . . . sourit . . . .
b. Le matin, il est présent, mais l'après-midi il . . . . . . est . . . . . . là.
c. Il . . . . . . connaît . . . . . . à la pédagogie.
d. Il . . . . . . accueille . . . . . . dans son bureau.
e. Il . . . . . . a . . . . . . idée des problèmes des élèves.
f. Il . . . . . . trouve . . . . . . d'intéressant.
g. Ce . . . . . . est absolument . . . . . . un bon directeur.
h. D'ailleurs, je . . . . . . ai . . . . . . contact avec lui.

193 **Retrouvez ces chansons françaises en choisissant les bonnes négations.**

Exemple : Non, je ne/~~n'~~ regrette rien/~~aucun~~. *(Édith Piaf)*

a. Il ne/n' rentre pas/jamais ce soir. *(Eddy Mitchell)*
b. Ne/N' avez-vous rien/pas à déclarer ? *(Yvan Dautun)*
c. Il ne/n' y a pas/rien d'amour heureux. *(Georges Brassens)*
d. Ne/N' avoue aucun/jamais. *(Guy Mardel)*
e. Ce ne/n' est rien/aucune. *(Julien Clerc)*
f. Je ne/n' t'aime rien/plus. *(Christophe)*
g. Il ne/n' y a personne/plus d'après. *(Juliette Gréco)*
h. Toi tu ne/n' ressembles à aucun/personne. *(Francis Lemarque)*

194 *Ne.... ni.... ni, sans, ne.... que.* **Répondez négativement ou faites une restriction.**

Exemple : Ils dépensent seulement 2 500 F par mois ? → Ils ***ne*** dépensent ***que*** 2000 F par mois.

a. Tu as une carte de crédit ou un chéquier ? ....
b. Ça coûte seulement 120 F ? ....
c. Tu demandes l'addition ou le champagne ? ....
d. Tu as un compte bancaire avec intérêts ? ....
e. Il nous prête seulement 300 F ?..........
f. Vous remboursez la banque ou la poste ? ....
g. Elle sort avec de l'argent de poche ? ....
h. Nathalie gagne bien ou mal sa vie ? ....

D. LA NÉGATION AVEC DEUX VERBES CONSÉCUTIFS

195 **Remettez dans l'ordre.**

Exemple : venir/ton/pas/anniversaire/pouvons/ne/à/nous
→ Nous ne pouvons pas venir à ton anniversaire.

a. fêter/je/le/ne/14/vais/Juillet/pas → ....
b. il/pas/pense/ne/venir → ....
c. souhaite/me/je/ne/pas/marier → ....
d. il/pas/rentrer/faut/ne/tard → ....
e. vous/pas/danser/ne/avec/moi/voulez ? → ....
f. n'/célébrer/Noël/aime/je/pas → ....
g. désire/pas/ne/offrir/cadeau/de/je → ....
h. vous/pas/assister/devez/au/ne/mariage → ....

E. La négation et le verbe à l'infinitif

196 **Remettez dans l'ordre.**

Exemple : ne/pelouse/sur/pas/de/dit/marcher/il/la

→ Il dit de ne pas marcher sur la pelouse.

a. elle/de/fort/demande/nous/parler/pas/ne → . . . .
b. s'il/fumer/veuillez/vous/ne/plaît/pas → . . . .
c. le/pas/reconnaître/peur/j'/de/ai/ne → . . . .
d. l'/école/de/pas/ne/être/content/suis/je/à → . . . .
e. elles/déçues/pas/venir/sont/ne/de → . . . .
f. elles/rentrer/de/pas/ne/disent → . . . .
g. bouger/vous/je/prie/ne/de/pas → . . . .
h. seule/préfère/elle/pas/ne/sortir → . . . .

Bilan

197 **Complétez la lettre de mécontentement de Jeanne.**

Saint-Malo, le 16 juillet

Chère Michèle,

Je t'écris de l'Hôtel des Mouettes que tu nous as conseillé pour les vacances. En un mot, je . . . . . . suis . . . . . . satisfaite !

Tout d'abord, le confort de la chambre . . . . . . me convient . . . . . . Ce . . . . . . est . . . . . . une chambre à deux lits. Elle est . . . . . . téléphone. Dans la salle de bains, il . . . . . . y a . . . . . . de baignoire. Il . . . . . . y a . . . . . . de l'eau froide depuis ce matin. La climatisation et l'ascenseur . . . . . . fonctionnent . . . . . . Bien sûr, la chambre est . . . . balcon et . . . . donne . . . . sur la mer.

Ensuite, la cuisine . . . . . . est . . . . . . variée . . . . . . copieuse. On . . . . . . peut . . . . . . demander de spécial. Le service est toujours mauvais, j'insiste : il . . . . . . est . . . . . . parfait. On . . . . . . peut . . . . . . réserver le court de tennis le jour même. Il . . . . . . y a . . . . . . à la réception. L'hôtel . . . . . . propose . . . . . . distraction et . . . . . . prend . . . . . . initiative.

Tu connais Pierre. . . . . le gêne. Alors, il . . . . . . dit . . . . . . Moi, en revanche, j'ai envie de . . . . finir mes vacances dans cet établissement !

Ce . . . . . . est . . . . . . grave, Michèle. Mais il . . . . . . faut . . . . . . recommander cet hôtel à tes amis car ce . . . . . . sont . . . . . . les mêmes propriétaires.

Je t'embrasse.

Jeanne.

VI. L'INTERROGATION

Qui aura de beaux chevaux si ce n'est le roi ?

A. MORPHOLOGIE

198 **Trouvez les questions à partir des réponses données.**

Exemple : Tu pars ? ← Oui, je pars en vacances.

a. . . . . ← Oui, je vais chez mes parents.
b. . . . . ← Non, pas le train, je prends l'avion.
c. . . . .
. . . . ← Oui, assez longtemps, je pense rester une semaine chez eux.
d. . . . . ← Non, pas seule, je pars avec mon fils.
e. . . . .
. . . . ← Non, je ne vais pas faire de bateau, nous allons nous reposer.
f. . . . . ← Oui, nous partons bientôt, demain soir.
g. . . . .
. . . . ← Non, ne nous accompagne pas à l'aéroport; Michel nous emmène.
h. . . . . ← Bien sûr, je te téléphone à l'arrivée.

199 **Reformulez ces questions sur le modèle donné.**

Exemple : Les bagages sont prêts ? → ***Est-ce que*** les bagages sont prêts ?

a. Tu emportes un parapluie ? . . . .
b. Tu as coupé le gaz ? . . . .
c. Les fenêtres sont bien fermées ? . . . .
d. Le chien est dehors ? . . . .
e. Tu as les clés ? . . . .
f. Je peux fermer la porte ? . . . .
g. Les enfants, vous n'oubliez rien ? . . . .
h. Jacques, tu descends les sacs à la voiture ? . . . .

200 **Posez des questions sous une autre forme.**

Exemples : Tu connais ta leçon ? → ***Est-ce que*** tu connais ta leçon ?

Est-ce qu'elles aiment la peinture ? → ***Elles aiment la peinture ?***

a. Est-ce que tu as visité le musée de la Poste ? ....
b. Vous prenez un café ? ....
c. Il aime les films de Godard ? ....
d. Est-ce qu'ils parlent allemand ? ....
e. On peut sortir ce soir ? ....
f. Est-ce que vous allez souvent au théâtre ? ....
g. Tu peux me donner ton nouveau numéro de téléphone ? ....
h. Est-ce qu'ils ont le programme du spectacle ? ....

201 **Posez des questions en employant** *Est-ce que.*

Exemple : ***Est-ce que*** le Centre Pompidou est ouvert le mardi ? ← Non, le Centre Pompidou n'est pas ouvert le mardi.

a. .... ← Oui, la bibliothèque est très agréable.
b. .... ← Non, la cinémathèque se trouve au dernier étage.
c. .... ← Oui, il est déjà vieux, il date de 1977.
d. ....
.... ← Oui, il accueille beaucoup de visiteurs : environ 8 millions par an.
e. ....
.... ← Non, le Musée d'Art Moderne se trouve au 4e étage.
f. ....
.... ← Oui, on peut étudier 95 langues étrangères au Centre Pompidou.
g. ....
← Oui, le Centre de Création Industrielle présente des expositions sur la vie quotidienne d'aujourd'hui.
h. ....
.... ← Oui, vous devez absolument visiter ce bâtiment.

202 **Posez ces questions sous une autre forme.**

Exemple : Vous êtes étudiant ? → ***Êtes-vous*** étudiant ?

a. Vous vivez à Aix-en-Provence ? → ....
b. Vous allez à l'université ? → ....
c. Vous étudiez la linguistique ? → ....
d. Vous habitez actuellement chez vos parents ? → ....
e. Vous cherchez un studio ? → ....
f. Vous faites un petit travail pour payer vos études ? → ....
g. Vous remplissez ce formulaire ? → ....
h. Vous pouvez repasser le mois prochain ? → ....

203 **Posez les questions en rapport avec les réponses données.**

Exemple : Ont-ils leur nouvelle maison ? ← Oui, ils ont leur nouvelle maison.

a. .... ← Oui, j'aime beaucoup leur maison.
b. .... ← Non, elle n'est pas loin du RER.
c. .... ← Oui, ils vont organiser une petite fête.
d. .... ← Oui, ils ont un grand salon.
e. .... ← Bien sûr, je suis invitée et toi aussi.
f. .... ← Oui, je connais la date : samedi 20 juin.
g. .... ← Avec plaisir, on peut y aller ensemble.
h. .... ← Oui, il faut apporter des disques.

204 **Reformulez ces questions sur le modèle donné.**

Exemple : Elle regarde les vitrines dans la rue. → ***Regarde-t-elle*** les vitrines dans la rue ?

a. Il marche vite. ....
b. On parle fort ? ....
c. Elle écoute un opéra de Mozart ? ....
d. Il visite des expositions de peintures ? ....
e. Elle prépare le dîner ? ....
f. Il passe l'aspirateur ? ....
g. On téléphone à tes amis ? ....
h. Elle invite Nicolas ? ....

205 **Reformulez ces questions dans un langage plus soutenu. Aidez-vous du modèle.**

Exemples : Marie vient dîner ce soir ? → Marie ***vient-elle*** dîner ce soir ?
Les enfants rentrent de l'école à 16 h 30 ? → Les enfants ***rentrent-ils*** de l'école à 16 h 30 ?

a. Ta sœur lit beaucoup ? ....
b. Vos amis voyagent ? ....
c. Jean comprend l'espagnol ? ....
d. Le film finit à 22 heures ? ....
e. Brigitte attend un enfant ? ....
f. Son frère peut venir m'aider ? ....
g. Votre mari doit faire son service national ? ....
h. Véronique écrit souvent à sa grand-mère ? ....

206 **Réécrivez ces questions en employant une forme plus soutenue.**

Exemple : Est-ce que Valérie joue d'un instrument ? → Valérie ***joue-t-elle*** d'un instrument ?

a. Est-ce que Claire change de travail ? ....
b. Est-ce que Joseph aime sa façon de vivre ? ....
c. Est-ce que Catherine a des nouvelles de sa famille ? ....
d. Est-ce que Jean-Marc bricole souvent ? ....
e. Est-ce que le professeur aide ses élèves ? ....
f. Est-ce que ce malade mange bien ? ....
g. Est-ce que Jacqueline aime la bière ? ....
h. Est-ce que Paul étudie l'allemand ? ....

B. MOTS INTERROGATIFS

207 **Posez des questions en rapport avec les réponses données.**

Exemples : Qu'est-ce que tu veux ? ← Je veux un pain au chocolat.
Qu'est-ce qu'on donne ? ← On donne 150 francs pour Noël.

a. .... ← Je préfère ce vase en cristal.
b. .... ← Elle va acheter un magazine.
c. .... ← Philippe lit un essai philosophique.
d. .... ← Je prends un jus de pamplemousse et toi ?
e. .... ← Il fait ses exercices de grammaire.
f. .... ← Nous étudions la biologie.
g. .... ← Elle aimerait voir la pièce d'Ariane Mnouchkine.
h. .... ← On mange des chewing-gums.

208 **Reliez par une flèche questions et réponses.**

Exemples : Qu'est-ce que tu écoutes ? → Du jazz.
Est-ce que tu aimes la musique ? → Oui, surtout le jazz.

a. Qu'est-ce que tu écris ?
b. Est-ce que tu prends un dessert ?
c. Est-ce que tu fais du sport ?
d. Qu'est-ce que tu prends comme dessert ?
e. Qu'est-ce que tu vends ?
f. Qu'est-ce que tu fais comme sport ?
g. Est-ce que tu écris ?
h. Est-ce que vous vendez votre voiture ?

1. Non, je prendrai directement un café.
2. Oui, ma Peugeot est très vieille.
3. De la natation.
4. Non, je n'ai pas le temps d'écrire.
5. Oui, du tir à l'arc.
6. Ma Citroën, elle marche très bien.
7. Une tarte aux poires.
8. Un poème.

209 **Complétez les questions suivantes par** *Est-ce que* **ou** *Qu'est-ce que.*

Exemples : Qu'est-ce qu'*elle préfère ?*
Est-ce que ton frère aime la voile ?

a. .... tu veux venir avec nous ?
b. .... elle fait dans la vie ?
c. .... vous êtes célibataire ?
d. .... ils voyagent seuls ?
e. .... tu connais Véronique Sanson ?
f. .... on prend comme boisson ?
g. .... vous pensez de cette affaire ?
h. .... ils font la sieste ?

210 Associez par des flèches questions et réponses.

Exemples : Qui est-ce ? → Albertine, une amie.
Qu'est-ce que c'est ? → Un nouveau gadget.

Qui est-ce ?

Qu'est-ce que c'est ?

a. Un magnétoscope.
b. Une carte à puce.
c. Patrick, un cousin.
d. Mon fiancé.
e. Un Minitel.
f. Un distributeur automatique de billets.
g. Catherine, une collègue.
h. Madame Bernart.

211 Cochez la bonne réponse.

Exemple : Qu'est-ce que vous cherchez ?
1. ☐ Oui, je cherche un emploi. **2.** ☒ mes clés de voiture. **3.** ☐ M. Miot.

a. Est-ce que vous suivez les informations ?
1. ☐ Oui, j'écoute la radio. **2.** ☐ La télévision. **3.** ☐ Alain Duhamel dans *Le Figaro.*
b. Qui est-ce que vous aimez comme chanteur ?
1. ☐ Non, pas beaucoup. **2.** ☐ Oui, j'adore la chanson *Paris s'éveille.* **3.** ☐ J'aime bien M.C. Solar.
c. Qui est-ce que vous voulez voir ?
1. ☐ Jacqueline Lariven. **2.** ☐ Le dernier film de Polanski. **3.** ☐ Oui, M. Maurin.
d. Est-ce que vous suivez des cours de biologie ?
1. ☐ Je suis à la faculté des lettres. **2.** ☐ Non, je prends des cours de géologie. **3.** ☐ Je n'aime pas le prof.
e. Qui est-ce qu'il demande ?
1. ☐ Il demande où sont les toilettes. **2.** ☐ Il veut parler à M. Arnoux. **3.** ☐ Oui, il cherche sa carte orange.
f. Est-ce que tu comprends ?
1. ☐ La solution du problème. **2.** ☐ Le professeur. **3.** ☐ Non, pas très bien.
g. Qu'est-ce que tu emportes ?
1. ☐ J'emmène mes enfants avec moi.. **2.** ☐ Oui, je prends un sac. **3.** ☐ Des vêtements légers.
h. Qui est-ce qui parle ?
1. ☐ Il parle de son expérience. **2.** ☐ Sa sœur. **3.** ☐ Oui, Sylvie parle un peu trop.

212 Allégez ces questions en employant *qui.*

Exemple : Qui est-ce qui connaît cette chanson ? → ***Qui*** connaît cette chanson ?

a. Qui est-ce qui vient en voiture avec moi ? . . . .
b. Qui est-ce qui prend un Coca ? . . . .
c. Qui est-ce qui veut partir pour l'Italie ? . . . .
d. Qui est-ce qui sait nager ? . . . .
e. Qui est-ce qui connaît la bonne réponse ? . . . .
f. Qui est-ce qui lit ce roman ? . . . .
g. Qui est-ce qui se marie ? . . . .
h. Qui est-ce qui va au cinéma ce soir ? . . . .

213 Allégez ces questions en employant *que* ou *qu'*.

Exemple : Qu'est-ce que vous faites dans la vie ? → ***Que*** faites-vous dans la vie ?

a. Qu'est-ce qu'elle joue comme rôle ? . . . .
b. Qu'est-ce que tu achètes comme disques ? . . . .
c. Qu'est-ce que vous pensez du conflit serbo-bosniaque ? . . . .
d. Qu'est-ce qu'on choisit comme places ? . . . .
e. Qu'est-ce qu'elle offre à son père ? . . . .
f. Qu'est-ce qu'ils décident pour le week-end ? . . . .
g. Qu'est-ce que tu étudies ? . . . .
h. Qu'est-ce qu'on dit ? . . . .

214 Reformulez ces questions selon le modèle donné.

Exemple : Qu'est-ce que Delphine regarde ? → ***Que*** regarde Delphine ?

a. Qu'est-ce que les enfants font ? . . . .
b. Qu'est-ce que M. et Mme Dubois décident ? . . . .
c. Qu'est-ce que Mireille souhaite ? . . . .
d. Qu'est-ce que ton frère étudie ? . . . .
e. Qu'est-ce que tes amis font samedi ? . . . .
f. Qu'est-ce que Christine préfère ? . . . .
g. Qu'est-ce qu'Alice regrette ? . . . .
h. Qu'est-ce que Doris et son mari veulent exactement ? . . . .

215 Complétez les questions suivantes par *qui* ou *que*.

Exemples : Qui fait la vaisselle ce soir ?
Que préfères-tu : dîner à la maison ou au restaurant ?

a. . . . . préparez-vous pour le déjeuner ?
b. . . . . accepte de faire les courses ?
c. . . . . repasse-t-elle ?
d. . . . . lave le sol ?
e. . . . . vide la machine à laver ?
f. . . . . nettoyez-vous ?
g. . . . . passe l'aspirateur ?
h. . . . . cirez-vous ?

216 Complétez par *que* ou *quoi*.

Exemples : Avec ***quoi*** tu fais cette sauce ?
Que met-elle dans le pot au feu ?

a. De . . . . . . as-tu besoin pour le repas du soir ?
b. Elle utilise . . . . . . pour laver ses foulards ?
c. À . . . . . . ressemble ce plat tunisien ?
d. . . . . . . pense-t-elle faire comme dessert ?
e. Tu veux des œufs pour faire . . . . . . ?
f. . . . . . . prenez-vous comme plat principal ?
g. . . . . . . peuvent-ils faire pour t'aider ?
h. De . . . . . . as-tu besoin ?

217 Complétez les questions suivantes par *quel, quelle, quels* ou *quelles.*

Exemples : Quel jour est-on ? – ***Quelle*** heure est-il ?

a. . . . . . . horaires vous conviennent le mieux ?
b. En . . . . . . année s'est passé cet événement ?
c. À . . . . . . dossier faites-vous référence ?
d. De . . . . . . documents parlez-vous ?
e. . . . . . . semaine part-il en vacances ?
f. En . . . . . . saison sommes-nous ?
g. . . . . . . mois sont en hiver ?
h. . . . . . . matinées êtes-vous libre ?

218 Reformulez les questions suivantes.

Exemple : Votre nom ? → ***Quel*** est votre nom ?

a. Votre adresse ? . . . .
b. Vos diplômes ? . . . .
c. Vos préférences ? . . . .
d. Votre nationalité ? . . . .
e. Votre numéro de passeport ? . . . .
f. Vos jours de repos ? . . . .
g. Votre ancien salaire ? . . . .
h. Vos activités de loisirs ? . . . .

219 Posez les questions correspondant aux réponses fournies. Utilisez *où.*

Exemple : Où Pierre est-il né ? ← Il est né à Bordeaux.

a. . . . . ← Il fait des études à Grenoble.
b. . . . . ← Il vit dans la banlieue de Grenoble.
c. . . . . ← Il habite rue du Général-Leclerc.
d. . . . . ← Valentine se marie à Orléans.
e. . . . . ← Elle travaille à la poste.
f. . . . . ← Elle passe ses vacances dans les Pyrénées.
g. . . . . ← Son appartement se trouve à Agen.
h. . . . . ← Elle fait de la gymnastique dans une salle de sport.

220 Allégez les questions suivantes en utilisant *où, d'où* ou bien *par où.*

Exemple : Par où est-ce que vous êtes passés ? → ***Par où*** êtes-vous passés ?

a. D'où est-ce qu'elles arrivent ? → . . . .
b. Où est-ce que Jean travaille ? → . . . .
c. Par où est-ce qu'on entre ? → . . . .
d. Où est-ce qu'aura lieu leur mariage ? → . . . .
e. Où est-ce que tu ranges ta voiture ? → . . . .
f. D'où est-ce que Laurent vient ? → . . . .
g. Où est-ce que tu as trouvé ce joli vase ? → . . . .
h. D'où est-ce qu'on va envoyer cette lettre ? → . . . .

221 Posez les questions correspondant aux réponses données en employant *où, d'où, par où.*

Exemple : D'où est parti ce colis ? ← Ce colis est parti de Marseille.

a. .... ← Il faut descendre à la station Saint-Sulpice.
b. .... ← Tu peux entrer par la porte du jardin.
c. .... ← Ils arriveront à la gare de Lyon.
d. .... ← J'arrive de Vancouver.
e. .... ← L'envoyé spécial téléphone de Jérusalem.
f. .... ← Les cambrioleurs sont passés par la fenêtre.
g. .... ← Elles descendent à l'hôtel Lutétia.
h. .... ← Nous ferons un crochet par Sarlat pour aller chez nos amis.

222 Associez questions et réponses (parfois plusieurs possibilités).

Exemples : Où s'arrêtent-ils ? → À Lille.
Quand prennent-elles l'avion ? → Le 21 décembre.

a. Où descendez-vous ?	1. Au bord de la mer.
b. Quand le bus part-il ?	2. Dans deux ans.
c. Où pars-tu en séminaire ?	3. À la prochaine station.
d. D'où arrives-tu ?	4. De la piscine.
e. Quand prends-tu ta retraite ?	5. À partir du 18 juin.
f. Par où la déviation passe-t-elle ?	6. Dans un quart d'heure.
g. Où vont-ils ce week-end ?	7. À Versailles.
h. À partir de quand est-il en congé ?	8. Par Besançon.

223 Associez questions et réponses (parfois plusieurs possibilités).

Exemples : Quand allez-vous déménager ? → En novembre.
Où vit-elle ? → En Nouvelle Calédonie.
Comment voyagez-vous ? → En voiture.

a. Où travaillez-vous maintenant ?	1. En express.
b. Comment réglez-vous vos achats ?	2. En mars.
c. Quand êtes-vous libre ?	3. En plein cœur de Paris.
d. Quand commencez-vous les travaux ?	4. En espèces.
e. Où se trouvent vos bureaux ?	5. En pleine forme.
f. Comment envoyez-vous cette lettre ?	6. En 1972.
g. Quand a eu lieu cette affaire ?	7. En milieu d'après-midi.
h. Comment te sens-tu ?	8. En grande banlieue.

224 Posez des questions en employant *comment.* (Plusieurs phrases possibles)

Exemple : Comment ont-ils appris la nouvelle ? ← En écoutant les informations.

a. .... ← En voiture.
b. .... ← Assez bien, merci, et toi ?
c. .... ← Il faut appuyer sur le bouton pour l'allumer.

d. . . . . ← En anglais bien, mais je travaille mal en espagnol.

e. . . . . ← Il progresse très lentement.

f. . . . . ← Elle, c'est Fabienne et moi, Céline.

g. . . . . ← Je travaille à temps partiel.

h. . . . . ← Dans Lyon, on circule en bus ou en métro.

225 Complétez les phrases par *comment* ou *pourquoi* en tenant compte des réponses.

Exemples : Elle reste à la maison le mercredi, ***pourquoi*** ? – À cause des enfants.

Comment se passe sa 6e ? – Elle trouve ça très difficile.

a. Tu paies tes études . . . . ? – Je fais souvent du baby-sitting.

b. . . . . ça ne va pas ? – Il a des problèmes avec son employeur.

c. . . . . fait-elle pour parler si bien italien ? – Sa mère est italienne.

d. On prépare . . . . les ris de veau ? – Téléphone à ma mère, elle t'expliquera.

e. . . . . vos amis ne viennent-ils pas ? – Ils sont très fatigués ce soir.

f. . . . . reculez-vous ? – J'ai pris la rue en sens interdit.

g. Tu t'organises . . . . pour tout faire ? – Je suis assez méthodique.

h. . . . . marchez-vous si lentement ? – J'ai mal aux pieds.

226 Associez questions et réponses (parfois plusieurs possibilités).

Exemples : Pourquoi partent-ils si tôt ? → Pour ne pas rater le film.

Combien coûte une place de cinéma ? → Pour un étudiant, 35 francs.

a. Combien de temps il vous faut ?	1. Pour avoir une chambre supplémentaire.
b. Pourquoi on se dépêche tant ?	2. Pour s'occuper de sa fille.
c. Pourquoi déménagez-vous ?	3. Pour l'instant, 25 ans.
d. Vous avez besoin de combien ?	4. Pour deux personnes, 250 francs.
e. Pourquoi prend-il un congé parental ?	5. Pour rentrer chez moi, 30 minutes.
f. Combien fait la chambre ?	6. Pour perfectionner mon anglais.
g. Combien de temps avez-vous travaillé ?	7. Pour pouvoir sortir ce soir.
h. Pourquoi vas-tu vivre aux États-Unis ?	8. Pour acheter ce terrain, il me faut 250 000 F.

227 Complétez les questions suivantes par *combien* ou *combien de/d'*.

Exemples : Tu prends ***combien de*** sucres dans ton café ?

Elle pèse ***combien*** ?

a. Vous dormez . . . . heures par nuit ?

b. Sa voiture mesure . . . . ?

c. Ce sac fait . . . . ?

d. . . . . gagne le directeur ?

e. . . . . enfants ont-ils ?

f. Le maçon demande . . . . pour refaire le mur ?

g. Vous avez . . . . jours fériés en France ?

h. *Le Figaro* tire à . . . . exemplaires ?

228 **Voici des informations sur la Bourgogne. Posez des questions correspondant aux réponses données.**

Exemple : Qu'est-ce que la Bourgogne ? ← La Bourgogne est une région de France.

a. .... ?
La Bourgogne se trouve dans le Centre, à l'est du Massif central.

b. .... ?
La principale économie bourguignonne est la culture de la vigne.

c. .... ?
C'est au XVe siècle que la Bourgogne est devenue une province française.

d. .... ?
Elle est devenue française car Charles le Téméraire, dernier duc de Bourgogne, n'avait pas d'enfant.

e. .... ?
On peut aller en Bourgogne par l'autoroute ou en TGV.

f. .... ?
On peut déguster le coq au vin, les escargots et la moutarde de Dijon.

g. .... ?
Quatre départements constituent la Bourgogne : la Côte-d'Or, la Nièvre, la Saône-et-Loire et l'Yonne.

h. .... ?
Les grandes villes touristiques sont : Dijon, Beaune, Auxerre et Vézelay.

229 **Voici quelques informations sur des personnages de B.D. (bandes dessinées). Posez des questions correspondant aux informations données.**

Exemple : D'où Bécassine vient-elle ? ← Bécassine vient de Bretagne.

a. .... ?
Bécassine apparaît pour la première fois en 1905.

b. .... ?
Ce sont Pinchon et Caumery qui ont inventé les aventures de Bécassine.

c. .... ?
Elle gagne sa vie en travaillant comme domestique dans des fermes ou pour des familles riches.

d. .... ?
Elle a de nombreux problèmes car elle est très naïve et assez bête.

e. .... ?
Goscinny et Uderzo ont produit 27 albums d'Astérix le Gaulois, traduits dans plus de 30 langues.

f. .... ?
L'inséparable ami d'Astérix s'appelle Obélix.

g. .... ?
Les aventures d'Astérix sont publiées pour la première fois dans le magazine Pilote.

h. .... ?
Ces deux Gaulois sont très forts grâce à la potion magique du druide Panoramix.

230 Posez des questions sur les fêtes françaises.

Exemple : Combien y a-t-il de jours fériés en France ? ← En France, il y a 11 jours fériés par an.

a. .... ?

On achète des fleurs le 1er novembre pour aller au cimetière.

b. .... ?

On appelle le 1er mai la Fête du travail.

c. .... ?

Le jeudi de l'Ascension arrive 40 jours après Pâques.

d. .... ?

Deux fêtes correspondent à la fin des deux guerres mondiales : le 11 novembre et le 8 mai.

e. .... ?

La Fête nationale est le 14 Juillet car c'est l'anniversaire de la prise de la Bastille.

f. .... ?

C'est la naissance du Christ qu'on célèbre le 25 décembre.

g. .... ?

On réveillonne la nuit de la saint Sylvestre car c'est la fin de l'année et le début de l'année nouvelle.

h. .... ?

Ce sont des sujets en chocolat que les enfants reçoivent le jour de Pâques.

Bilan

231 **Complétez cet entretien par des mots interrogatifs en tenant compte des réponses données.**

– *Bonjour mademoiselle, asseyez-vous !*
– *Bonjour monsieur.*
– *Tout d'abord, ... est votre nom ?*
– *Olga Dürer.*
– *. . . . . venez-vous ?*
– *Je viens d'Amsterdam, je suis hollandaise.*
– *. . . . . est votre date de naissance ?*
– *Je suis née le 25 mars 1979.*
– *. . . . . faites-vous dans la vie ?*
– *Actuellement, j'étudie le français à Paris.*
– *Et . . . . payez-vous vos études ?*
– *Je suis jeune fille au pair.*
– *. . . . . habitez-vous ?*
– *37, rue des Blancs Manteaux dans le 4e arrondissement.*
– *Chez . . . . travaillez-vous ?*
– *Chez Madame Blancpain.*
– *. . . . . enfants a-t-elle ?*
– *Elle a une petite fille de 6 ans.*
– *Depuis . . . . travaillez-vous chez eux ?*
– *Depuis six mois.*
– *Bien ! Alors maintenant, ... venez-vous me voir ?*
– *Je voudrais quitter la famille Blancpain.*
– *Pour . . . . raison ? Vous n'êtes pas bien chez eux ?*
– *Si, mais je voudrais aller à Toulouse, pour rejoindre ma sœur.*
– *. . . . . fait-elle à Toulouse ?*
– *Elle vient d'avoir un bébé et elle m'a proposé de venir habiter chez elle. Et je pourrai aussi continuer mes études !*
– *Je vois, je vais entrer en relation avec Madame Blancpain. Je vous téléphonerai dans quelques jours.*
– *Merci, monsieur.*
– *Au revoir, Mademoiselle Dürer.*

VII. L'IMPÉRATIF

Chassez le naturel, il revient au galop.

A. AFFIRMATION ET NÉGATION

232 **Soulignez les verbes à l'impératif.**

Exemples : Ne pas courir !

Ne fumez pas dans les salles de cours.

a. Vous ne devez pas jeter vos papiers dans la rue.
b. Utilisez les passages pour piétons.
c. Avance jusqu'à la ligne rouge.
d. Un train peut en cacher un autre.
e. Défense de plonger.
f. Conservez votre ticket de parking.
g. Ne pas traverser les voies ferrées.
h. Empruntez le passage souterrain.

233 **Donnez des conseils en utilisant l'impératif.**

Exemple : Tu dois vérifier l'huile. → ***Vérifie*** l'huile.

a. Nous devons augmenter la pression des pneus. → . . . .
b. Vous devez ajouter de l'eau dans le radiateur. → . . . .
c. Tu dois porter la voiture à réviser. → . . . .
d. Vous devez recharger la batterie. → . . . .
e. Nous devons changer la roue arrière. → . . . .
f. Tu dois acheter de l'essence. → . . . .
g. Nous devons attacher nos ceintures de sécurité. → . . . .
h. Vous devez régler votre rétroviseur. → . . . .

234 **Employez l'impératif pour formuler ces conseils.**

Exemple : Boire plus d'eau (nous). → ***Buvons*** plus d'eau !

a. Prendre une cuillerée de sirop (vous). → . . . .
b. Mettre dix gouttes dans un verre d'eau (tu). → . . . .
c. Dormir huit heures par nuit (tu). → . . . .
d. Faire attention aux boissons alcoolisées (nous). → . . . .
e. Réduire la consommation de tabac (tu). → . . . .
f. Sortir une heure par jour (vous). → . . . .
g. Être moins stressé (tu). → . . . .
h. Avoir davantage de temps libre (nous). → . . . .

235 Voici quelques phrases clés de l'éducation. Écrivez-les à l'impératif.

Exemple : Tu ne dois pas manger trop de pain. → ***Ne mange pas*** trop de pain !

a. Vous ne devez pas traîner les pieds ! . . . .
b. Vous ne devez pas parler sur ce ton ! . . . .
c. Tu ne dois pas passer ton temps devant la glace ! . . . .
d. Vous ne devez pas oublier de dire " merci ". . . . .
e. Tu ne dois pas parler la bouche pleine ! . . . .
f. Vous ne devez pas rester une heure au téléphone ! . . . .
g. Tu ne dois pas bouger tout le temps sur ta chaise ! . . . .
h. Vous ne devez pas fermer la porte de la salle de bains à clé ! . . . .

236 Formulez ces interdictions à l'impératif.

Exemple : Il est interdit de klaxonner en ville. → ***Ne klaxonnez pas*** en ville !

a. Ne pas prendre les rues en sens interdit. . . . .
b. Défense de dépasser les 80 km/h sur les voies rapides. . . . .
c. Interdiction de mettre les phares de jour. . . . .
d. Ne pas rouler à plus de 50 km/h en ville. . . . .
e. Il est interdit de conduire à gauche. . . . .
f. Il ne faut pas garer de voiture devant les sorties de secours. . . . .
g. Défense de franchir la ligne blanche. . . . .
h. Ne pas faire d'auto-stop sur les autoroutes. . . . .

237 Donnez l'ordre contraire.

Exemples : N'appelle pas un taxi ! → ***Appelle*** un taxi !

Prenons l'omnibus de 17 h 05 ! → ***Ne prenons pas*** l'omnibus de 17 h 05 !

a. Achetez votre coupon de carte orange ! . . . .
b. Ne réserve pas ta couchette pour Avignon !. . . . .
c. N'enregistrons pas nos bagages ! . . . .
d. Faites votre réservation pour Marseille ! . . . .
e. Demandons les places près de la fenêtre ! . . . .
f. Ne téléphone pas aux renseignements ! . . . .
g. Prends le bus n°92 ! . . . .
h. Vérifions l'heure du vol ! . . . .

238 Voici des recommandations pour devenir un « cordon bleu ». Réécrivez-les en employant l'impératif.

Exemple : Vous devez acheter des produits de bonne qualité.

→ ***Achetez*** des produits de bonne qualité!

a. Vous ne devez pas faire plusieurs choses en même temps. . . . .
b. Vous devez prendre votre temps. . . . .
c. Vous devez réunir vos ustensiles de cuisine. . . . .

d. Vous ne devez pas aller trop vite. . . . .

e. Vous devez suivre attentivement la recette. . . . .

f. Vous ne devez pas perdre votre calme. . . . .

g. Vous devez goûter de temps en temps. . . . .

h. Vous devez servir les plats bien présentés. . . . .

239 Complétez par l'infinitif ou l'impératif.

Exemple : Prière de ***ne pas claquer*** la porte. (ne pas claquer)

a. Je vous prie d' . . . . vos chaussures. (enlever)

b. Les enfants, ... à la salle de bains avant de venir à table ! (aller)

c. Si vos chaussures sont sales, ... -les sur le paillasson ! (frotter)

d. Interdiction d' . . . . de la musique trop fort après minuit. (écouter)

e. . . . . d'éteindre la lumière avant de vous coucher. (ne pas oublier)

f. . . . . avant d'entrer. (sonner)

g. Chers locataires, ... retirer les nouvelles clés des caves auprès de la gardienne. (vouloir)

h. Vous êtes priés de . . . . la porte d'entrée de l'immeuble. (fermer)

B. Les verbes pronominaux

240 Reformulez ces consignes en employant l'impératif.

Exemples : Tu te dépêches. → ***Dépêche-toi !***

Vous vous levez plus tôt. → ***Levez-vous*** plus tôt !

a. Tu te fais un shampoing deux fois par semaine. . . . .

b. Nous nous habillons rapidement. . . . .

c. Vous vous faites une mise en plis. . . . .

d. Tu te douches le soir. . . . .

e. Nous nous lavons les dents énergiquement. . . . .

f. Vous vous coupez les ongles chaque semaine. . . . .

g. Tu te rases tous les jours. . . . .

h. Nous nous brossons les cheveux avant d'aller au lit. . . . .

241 Dites le contraire.

Exemple : Ne te couvre pas la tête. → ***Couvre-toi*** la tête !

a. Ne te brosse pas les ongles. . . . .

b. Ne vous faites pas remarquer. . . . .

c. Ne vous enfermez pas dans les toilettes. . . . .

d. Ne te balance pas sur ta chaise. . . . .

e. Ne nous occupons pas des voisins. . . . .

f. Ne te tiens pas droite. . . . .

g. Ne nous éloignons pas. . . . .

h. Ne vous pressez pas pour finir vos devoirs. . . . .

242 **Donnez le conseil inverse.**

Exemple : Préoccupe-toi de ton voyage. → ***Ne te préoccupe pas*** de ton voyage.

a. Assurons-nous des horaires d'arrivée. . . . .
b. Renseignez-vous auprès de l'office du tourisme. . . . .
c. Inquiète-toi à propos de cette lettre. . . . .
d. Intéressons-nous davantage à la publicité. . . . .
e. Interrogeons-nous sur leur avenir. . . . .
f. Informe-toi auprès de l'hôtesse. . . . .
g. Adressons-nous à la banque. . . . .
h. Abonne-toi aux services bancaires du Minitel. . . . .

243 **Donnez l'ordre inverse.**

Exemples : Ne vous inscrivez pas en juillet. → ***Inscrivez-vous*** en juillet.
Présente-toi en retard. → ***Ne te présente pas*** en retard.

a. Inquiète-toi pour ton examen. . . . .
b. Préparez-vous pour cet entretien. . . . .
c. Renseigne-toi sur les matières. . . . .
d. Ne vous occupez pas des dossiers d'inscription. . . . .
e. Adressons-nous au secrétariat. . . . .
f. Ne te munis pas de photographies. . . . .
g. Préoccupez-vous des frais de scolarité. . . . .
h. Ne fournissez pas les pièces manquantes. . . . .

244 **Remettez les phrases dans l'ordre.**

Exemple : vos-vous-occupez-de-affaires → Occupez-vous de vos affaires.

a. souci-fais-te-de-pas-ne → . . . .
b. vous-moi-pas-pour-ne-inquiétez → . . . .
c. dans-vous-ce-fauteuil-asseyez → . . . .
d. souvent-repose-plus-toi → . . . .
e. réussir-toi-à-force → . . . .
f. vous-aise-à-mettez-l' → . . . .
g. fâchons-pas-nous-ne → . . . .
h. ça-nous-pas-de-ne-mêlons → . . . .

C. Impératif et pronoms compléments

245 **Réécrivez ces phrases en utilisant un pronom et l'impératif.**

Exemple : Faire les courses. → ***Faites-les !***

a. Préparer le repas. . . . .
b. Nourrir les oiseaux. . . . .
c. Étendre la lessive. . . . .

d. Remettre le salon en ordre. . . . .
e. Remplir le lave-linge. . . . .
f. Repasser la chemise bleue. . . . .
g. Finir la vaisselle. . . . .
h. Passer l'aspirateur. . . . .

246 **Formulez ces consignes négatives en employant un pronom et l'impératif.**

Exemple : Tu ne dois pas essuyer les verres en cristal. → ***Ne les essuie pas.***

a. Tu ne dois pas balayer la cuisine. . . . .
b. Tu ne dois pas laver les pulls en laine. . . . .
c. Tu ne dois pas ranger les assiettes. . . . .
d. Tu ne dois pas cirer le plancher. . . . .
e. Tu ne dois pas nettoyer les carreaux. . . . .
f. Tu ne dois pas faire le ménage. . . . .
g. Tu ne dois pas lessiver les murs. . . . .
h. Tu ne dois pas vider le réfrigérateur. . . . .

247 **Reformulez ces conseils en suivant le modèle donné.**

Exemples : Il faut écrire à ta mère. → ***Écris-lui.***

Il ne faut pas téléphoner à vos amis. → ***Ne leur téléphonez pas.***

a. Il ne faut pas poser cette question à nos voisins. . . . .
b. Il faut envoyer un chèque à ton plombier. . . . .
c. Il ne faut pas répondre à votre directeur. . . . .
d. Il faut obéir à ton maître d'école. . . . .
e. Il faut raconter cette histoire à Serge. . . . .
f. Il faut demander des disques à tes copains. . . . .
g. Il faut prêter des verres à Paul et Virginie. . . . .
h. Il ne faut pas emprunter d'argent à vos parents. . . . .

248 **Transformez ces consignes en donnant des ordres.**

Exemple : Tu m'écoutes ! → ***Écoute-moi !***

a. Vous nous appelez de temps en temps. . . . .
b. Tu me prêtes ta moto. . . . .
c. Nous leur donnons l'autorisation de sortir. . . . .
d. Tu nous demandes son adresse. . . . .
e. Vous lui envoyez une carte postale. . . . .
f. Nous lui téléphonons. . . . .
g. Tu me passes Mireille. . . . .
h. Nous lui indiquons la route la plus courte. . . . .

249 Dites le contraire.

Exemple : Prêtons-lui le magnétoscope. → ***Ne lui prêtons pas*** le magnétoscope.

a. Emprunte-lui sa voiture. . . . .
b. Parlez-leur librement. . . . .
c. Abonnez-nous à *Libération*. . . . .
d. Montre-moi comment ça marche. . . . .
e. Commandons-leur cette montre. . . . .
f. Apportez-moi des fleurs. . . . .
g. Emmène-moi avec toi. . . . .
h. Conduisez-moi à la gare. . . . .

250 Donnez l'ordre contraire.

Exemples : Parle-moi plus fort. → ***Ne me parle pas*** plus fort.
Ne me félicitez pas. → ***Félicitez-moi.***

a. Ne me donnez pas sa nouvelle adresse. . . . .
b. Rends-moi la monnaie. . . . .
c. Prêtez-moi un parapluie, s'il vous plaît. . . . .
d. Ne me raccompagne pas chez moi. . . . .
e. Ne m'écris plus. . . . .
f. Dites-moi ce qui se passe. . . . .
g. Demande-moi ce que j'ai. . . . .
h. Ne m'apportez pas ces magazines. . . . .

251 Associez phrases et situations correspondantes.

a. Votre copain est très étourdi.
b. Il a encore manqué la sortie d'autoroute.
c. Votre sœur part pour le Vietnam.
d. Elle fume cigarette sur cigarette.
e. Vos enfants sont en retard pour aller à l'école.
f. Votre frère se met facilement en colère.
g. Mon amie a beaucoup grossi pendant l'été.
h. La machine à laver déborde ; vous appelez le plombier

1. "Appelle-moi si tu as un problème !"
2. "Arrête-toi de fumer !"
3. "Et surtout, ne vous arrêtez pas en chemin !"
4. "Je t'en prie, ne te fâche pas !"
5. "Dépêchez-vous de venir !"
6. "N'oublie pas que c'est mon anniversaire la semaine prochaine !"
7. "Fais attention, tu t'es encore trompé !"
8. "Mets-toi au régime !"

252 Dites le contraire.

Exemples : Prenez-en d'autres. → ***N'en prenez pas*** d'autres.
Vas-y. → ***N'y va pas.***

a. Achètes-en. ....
b. Allons-y. ....
c. Manges-en. ....
d. Passez-y. ....
e. Buvez-en. ....
f. Retournons-y. ....
g. Demandons-en plus. ....
h. Donnes-en moins. ....

253 Réécrivez ces phrases à l'impératif.

Exemples : Nous y passons peu de temps. → ***Passons-y*** peu de temps.
Tu n'en prends plus. → ***N'en prends plus.***

a. Vous y allez plus souvent. ....
b. Tu en choisis quelques-unes. ....
c. Nous y restons longtemps. ....
d. Vous en consommez peu. ....
e. Nous y séjournons quelques jours. ....
f. Vous en offrez souvent. ....
g. Nous y retrouvons des copains. ....
h. Vous en faites beaucoup. ....

254 Répondez aux questions suivantes en employant l'impératif.

Exemples : Nous pouvons aller au cinéma ce soir ? → Oui, ***allez-y.***
Je peux prendre des photos ? → Non, ***n'en prends pas.***

a. Vous pouvez passer par les Champs-Élysées ? → Oui, ...
b. Je peux apporter du vin ? → Non, ...
c. Nous pouvons partir pour Singapour ? → Oui, ...
d. Vous pouvez donner des nouvelles ? → Non, ...
e. Je peux prendre du champagne ? → Oui, ...
f. Nous pouvons goûter ce gâteau ? → Non, ...
g. Je peux passer chez Françoise ? → Non, ...
h. Vous pouvez offrir des chocolats → Non, ...

255 Remettez les phrases dans l'ordre.

Exemple : mets-n'-pas-partout-en → N'en mets pas partout.

a. pas-n'-touchons-y → ....

b. aux-donnez-en-enfants → ....

c. n'-allez-vite-pas-y-trop → ....

d. trop-en-n'-faites-pas → ....

e. plusieurs-en-distribuons → ....

f. gouttes-en-buvons-quelques → ....

g. deux-n'-prends-pas-en → ....

h. un-en-manges-peu-petit → ....

256 Complétez la terminaison de l'impératif si nécessaire.

Exemples : Prend**s**-en ! Mange**s**-en !

a. Va... -y sans te presser.

b. Donne... -en à tes copains.

c. Récite... -en quelques unes.

d. Finis... -en un.

e. Cours... -y vite.

f. Mets... -en un dans ton café.

g. Demande... -en à l'hôtesse.

h. Conduis... -y les enfants?

257 Complétez ces phrases en utilisant l'impératif.

Exemple : Vous voulez emmener les chiens, alors ***emmenez-les.***

a. Vous ne voulez plus aller au cinéma, alors ....

b. Tu ne veux pas prendre cette robe, alors ....

c. Nous ne voulons pas acheter de voiture, alors ....

d. Vous ne voulez pas choisir de dessert, alors ....

e. Vous souhaitez commander un apéritif, alors ....

f. Tu veux passer tes vacances en Bretagne, alors ....

g. Nous voulons prendre une femme de ménage, alors ....

h. Vous ne voulez pas avoir d'enfant, alors ....

258 **Voici quelques phrases très courantes pour faire l'éducation d'un enfant. Réécrivez-les en employant l'impératif.**

Je veux que tu enlèves tes mains de tes poches !

. . . .

Tu dois parler moins fort !

. . . .

Je voudrais que tu t'occupes de ta sœur !

. . . .

Tu dois aller jouer dans ta chambre !

. . . .

Je ne veux pas que tu t'enfermes dans la salle de bains !

. . . .

Il ne faut pas te balancer sur ta chaise !

. . . .

Il faut réfléchir avant de parler !

. . . .

Tu dois laisser passer les gens !

. . . .

Il ne faut pas mettre tes coudes sur la table !

. . . .

Tu dois finir ta soupe !

. . . .

Tu devrais te tenir droit !

. . . .

Mais l'éducation ne s'arrête pas là ! Continuez cette liste de formules clés

VIII. LES PRONOMS COMPLÉMENTS

Aujourd'hui à moi, demain à toi.

A. LE, LA, L' ET LES

259 **Soulignez les pronoms** *le, la, l', les.*

Exemple : Qui a écrit *Les Mandarins* ? Ce roman, c'est Simone de Beauvoir qui l' a écrit.

a. Nous l'avons lu il y a bien longtemps, *Le Père Goriot.*
b. Vous avez vu l'exposition Chagall ? – Oui, on l'a vue au Musée d'Art Moderne.
c. Les œuvres du peintre Kandinski sont très colorées ; je les aime beaucoup.
d. *Quai des brumes,* on l'a vu plusieurs fois à la cinémathèque Chaillot.
e. Charles Trenet, on le surnomme " le fou chantant ".
f. Tino Rossi était le chanteur préféré de nos grands-mères.
g. Tu ne connais pas les pièces de Beckett ? – Si, j'ai vu *Oh, les beaux jours.*
h. Vous ne la reconnaissez pas ? – Bien sûr, c'est Madeleine Renaud.

260 **Reliez questions et réponses correspondantes (parfois plusieurs possibilités).**

Exemple : Tu achètes ce magazine ? → Oui, je le veux.
→ Oui, je l'aime bien.

a. Vous aimez les B.D. de Cabu ?
b. Tu prends ma voiture ?
c. Vous choisissez ce bouquet ?
d. Tu ne mets pas ces chaussures ?
e. Vous lisez cette revue ?
f. Vous aimez les huîtres ?
g. Vous prenez ce chemisier ?
h. Tu n'as pas la télévision ?

1. Oui, je le veux.
2. Non, je ne la veux pas.
3. Oui, je l'aime bien.
4. Non, je ne les aime pas.

261 **Répondez aux questions suivantes en utilisant :** *le, la* **ou** *l'.*

Exemple : Elle fait sa commande par Minitel ? → Oui, elle ***la*** fait par Minitel.

a. Tu utilises souvent ton fax ? Oui, ...
b. Elle enregistre cette émission sur Arte ? Oui, ...
c. Vous louez ce caméscope ? Oui, ...
d. On branche l'ordinateur ? Oui, ...

e. Vous connaissez les CD-ROM ? Oui, ...

f. Ils vérifient les données sur Internet ? Oui, ...

g. Tu reçois les chaînes câblées ? Oui, ...

h. Vous utilisez l'imprimante ? Oui, ...

262 Remplacez les mots soulignés par *le, la, l'* ou *les.*

Exemple : On passe le week-end à la campagne ? On ***le*** passe à la campagne ?

a. Nous faisons les courses avant de partir. . . . .

b. Je vide la voiture. . . . .

c. Ma femme arrose le jardin. . . . .

d. Les enfants retrouvent leurs copains. . . . .

e. On range un peu la maison. . . . .

f. De temps en temps, ma femme invite notre voisine à déjeuner. . . . .

g. L'après-midi, on fait la sieste dehors s'il fait beau. . . . .

h. Le soir, on reçoit nos amis. . . . .

263 Posez des questions correspondant aux réponses données.

Exemple : Ils regardent la télévision le matin ? ← Non, ils ne la regardent pas le matin.

a. . . . . ← Non, on ne le prend jamais à la gare de Lyon.

b. . . . . ← Oui, elle l'achète tous les matins.

c. . . . . ← Oui, il le lit de temps en temps.

d. . . . . ← Oui, nous les écoutons à la radio.

e. . . . . ← Non, il ne la prend pas ; elle est chez le garagiste.

f. . . . . ← Oui, on les voit souvent, au moins une fois par mois.

g. . . . . ← Non, je ne le prends pas souvent, je préfère le bus.

h. . . . . ← Oui, on le rencontre tous les jours ; c'est notre boulanger.

264 Associez questions et réponses.

a. Tu veux lire ce roman ?
b. Elle peut conduire ta moto ? → 1
c. On peut allumer la télé ?
d. Vous allez acheter ce tableau ?
e. Ils veulent faire les courses ?
f. Vous préférez prendre l'avion ?
g. Elle veut vendre sa voiture ?
h. Tu as envie de voir ce film ?

1. Oui, elle est capable de la conduire.
2. Non, il ne faut pas l'allumer, il est tard.
3. Non, ils refusent de les faire.
4. Oui, elle aimerait la vendre.
5. Non, je n'ai pas envie de le lire.
6. Non, je ne veux pas le voir.
7. Oui, nous voulons l'acheter.
8. Oui, j'aime bien le prendre.

265 **Répondez aux questions suivantes en utilisant** *le, la, l'* **ou** *les.*

Exemple : Tu veux bien écouter cet opéra ? → Oui, je veux bien ***l'***écouter.
→ Non, je ne veux pas ***l'***écouter.

a. Il sait utiliser le four à micro-ondes ? → Oui, ...
b. Tu dois envoyer ton CV ? → Non, ...
c. Ils veulent essayer la nouvelle Peugeot ? → Oui, ...
d. Je dois lire ton rapport ? → Oui, ...
e. Vous savez conduire ce camion ? → Non, ...
f. Tu peux soulever cette valise ? → Non, ...
g. Il veut vendre son appartement ? → Oui, ...
h. Pouvez-vous taper cette lettre rapidement ? → Oui, ...

266 **Répondez en remplaçant les groupes de mots soulignés par** *le.*

Exemple : Pouvez-vous expliquer <u>où se trouve la Jordanie</u> ? → Oui, je peux ***l'***expliquer.
→ Non, je ne peux pas ***l'***expliquer.

a. Sais-tu <u>que le Centre Pompidou est fermé le mardi</u> ? Oui, ...
b. Peut-elle demander <u>s'il fait beau au Maroc en décembre</u> ? Oui, ...
c. Veux-tu <u>que je t'aide à déménager</u> ? Non, ...
d. Je pourrai dire <u>que tu es en vacances</u> ? Non, ...
e. Ton frère voudra bien <u>que je l'accompagne à l'aéroport</u> ? Non, ...
f. Pouvez-vous assurer <u>qu'il n'y aura plus de guerres</u> ? Non, ...
g. Peut-elle expliquer <u>où se trouve la Très Grande Bibliothèque</u> ? Oui, ...
h. Veux-tu relire <u>ce que tu as écrit</u> ? Oui, ...

B. *ME, TE, NOUS, VOUS, LE, LA, L', LES, LUI* ET *LEUR*

267 **Complétez les phrases suivantes avec** *me, m', te* **ou** *t'.*

Exemple : Tu ***m'***aimes ? Bien sûr, je ***t'***adore.

a. Je peux sortir ? – Non, je . . . . . . interdis de sortir ce soir !
b. Si tu as besoin d'aide, tu peux . . . . . . téléphoner.
c. Je ne comprends pas ce que vous . . . . . . demandez ! Répétez-moi votre question.
d. Si tu veux, je peux . . . . . . expliquer cette phrase de Victor Hugo.
e. Va voir cette pièce de Giraudoux ; je . . . . . . la recommande.
f. Mes parents . . . . . . fatiguent ; ils répètent toujours la même chose.
g. Je n'écoute pas les informations. L'actualité ne . . . . . . intéresse pas !
h. Il faut qu'elle . . . . . . donne une clé, sinon tu ne pourras pas rentrer ce soir.

Répondez aux questions suivantes en utilisant *me, te, m', t', nous* **ou** *vous.*

Exemple : Tu me passes Catherine ? → Oui, je ***te*** passe Catherine.
→ Non, je ne ***te*** passe pas Catherine.

a. Vous nous téléphonerez ? → Non, ...
b. Tu me donneras des nouvelles ? → Oui, ...
c. Je t'envoie ce colis par la poste ? → Non, ...
d. Vous nous interrogerez par écrit ? → Oui, ...
e. On te donne notre nouvelle adresse ? → Oui, ...
f. Vous m'écrirez de temps en temps ? → Oui, ...
g. Tu ne m'oublieras pas ? → Non, ...
h. Nous te posons les questions en anglais ? → Non, ...

Reformulez ces demandes et ces conseils sur le modèle donné.

Exemples : Aidez-moi ! → Vous devez ***m'***aider !
Applique-toi ! → Tu dois ***t'***appliquer !

a. Encouragez-nous ! . . . .
b. Regarde-toi dans la glace ! . . . .
c. Intéressons-nous à l'actualité ! . . . .
d. Explique-moi tes problèmes ! . . . .
e. Demandez-moi la permission de sortir ! . . . .
f. Dites-nous ce qui vous est arrivé ! . . . .
g. Écoute-nous davantage ! . . . .
h. Force-toi à manger ! . . . .

Complétez les phrases suivantes avec *me, te, t', nous, vous, le, l', la* **ou** *les* **en tenant compte des mots soulignés.**

Exemple : Ce plan est pour toi ; il ***te*** rendra service à Paris.

a. Raconte-moi cette histoire sans . . . . . . mentir.
b. Il est tombé amoureux de Mathilde le jour où il . . . . . . a rencontrée.
c. Ce cadeau est pour vous. J'espère qu'il . . . . . . plaira.
d. J'aime bien les nouveaux voisins. On pourrait . . . . . . inviter à l'apéritif.
e. Tu me prêtes 50 F ? Je . . . . . . les rendrai la semaine prochaine.
f. Vous ne vous souvenez pas de Brigitte ? Vous vouliez . . . . . . revoir très vite.
g. Pourquoi ne réponds-tu pas quand je te parle ? – Excuse-moi, je ne . . . . . . écoutais pas.
h. Regarde-nous. Tu . . . . . . trouves comment ?

271 Associez les éléments de réponse.

a. Tu téléphones à ta famille ?		1. téléphone une fois par semaine.
b. Vous parlez à votre voisine ?	**Je le**	2. parle tous les jours.
c. Tu écris à ta sœur ?		3. écris rarement.
d. Tu invites ta famille ?	**Je la**	4. invite le dimanche.
e. Vous prévenez votre directeur ?		5. préviens quand c'est nécessaire.
f. Tu reçois ta sœur ?	**Je l'**	6. reçois demain.
g. Vous posez des questions à votre directeur ?	**Je lui**	7. pose parfois des questions.
h. Tu interroges le professeur ?		8. interroge souvent.

272 Complétez les phrases suivantes par *les* ou *leur.*

Exemple : Qu'est-ce que tu rapportes aux enfants ? Je ***leur*** rapporte des disques.

a. Connais-tu ces chanteurs depuis longtemps ? Je . . . . . . ai découverts le mois dernier.
b. Tes parents partent seuls ? Non, je . . . . . . accompagne à l'aéroport.
c. Que demandez-vous aux étudiants ? On . . . . . . demande de participer aux cours.
d. Quelle réponse va-t-elle donner à ses amis ? Elle va . . . . . . dire qu'elle est d'accord.
e. Tu vois souvent les Dubois ? Oui, je . . . . . . rencontre presque tous les jours.
f. Vous écrivez à vos parents ? Non, mais je . . . . . . rends souvent visite.
g. Vous interrogez souvent vos élèves ? Oui, mais je . . . . . . pose des questions simples.
h. Tes enfants vont seuls à l'école ? Non, je . . . . . . emmène en voiture.

273 Cochez ce que le pronom complément remplace (parfois plusieurs réponses possibles).

Exemple : Ils ***l'***écoutent avec attention.

l' : **1.** ☐ les conseils **2.** ☒ le professeur **3.** ☐ à cette journaliste

a. Tu ***lui*** réponds mal.
lui : **1.** ☐ à tes copains **2.** ☐ au téléphone **3.** ☐ à ta mère

b. Vous ***leur*** posez des questions ?
leur : **1.** ☐ à M. Bernard **2.** ☐ aux médecins **3.** ☐ à Alice

c. Elle ***les*** mets au courant des nouveautés.
les : **1.** ☐ ses amies québécoises **2.** ☐ à ses sœurs **3.** ☐ sa collègue

d. Je ***l'***invite au café-théâtre.
l' : **1.** ☐ à ma copine **2.** ☐ mon cousin **3.** ☐ son frère

e. Elle ***lui*** a donné rendez-vous à la brasserie Flo.
lui : **1.** ☐ à Sophie et Jean **2.** ☐ à Pierre **3.** ☐ à son professeur

f. Ils ***l'***ont contacté par téléphone.

***l'* : 1.** ☐ Le vendeur **2.** ☐ nos étudiants **3.** ☐ à la bibliothécaire

g. Nous ***les*** emmenons au bord de la mer.

***les* : 1.** ☐ nos cousins de Lyon **2.** ☐ aux enfants **3.** ☐ Marie Dufour

h. Vous ***le*** conduirez à l'Hôtel de l'Europe.

***le* : 1.** ☐ aux clients **2.** ☐ Mme Vallet **3.** ☐ notre fournisseur

274 Posez des questions en tenant compte des réponses données.

Exemple : Il offre une bague à sa femme ? ← Oui, il lui offre une bague.

a. . . . . ← Oui, elle leur enseigne le français.
b. . . . . ← Oui, on la croise souvent dans la rue.
c. . . . . ← Non, je ne les connais pas.
d. . . . . ← Oui, nous l'invitons quelquefois.
e. . . . . ← Non, je ne leur ai pas montré l'Arc de triomphe.
f. . . . . ← Oui, elle lui passera un coup de fil demain.
g. . . . . ← Non, je ne le préviens pas de notre arrivée.
h. . . . . ← Oui, nous lui avons indiqué le chemin.

C. *MOI, TOI, LUI, ELLE, NOUS, VOUS, EUX ET ELLES*

275 Complétez les phrases suivantes par des pronoms en tenant compte des éléments soulignés.

Exemple : Moi, je vais bien et ***toi***, tu passes de bonnes vacances ?

a. Pierre, ... , il est parti pour le Portugal.
b. . . . . , nous préférons rester en France.
c. Caroline, ... , prépare le concours d'entrée aux Beaux-Arts.
d. Et . . . . , que faites-vous en août ?
e. Mes parents, ... , ils passent quinze jours dans les Landes.
f. Quant à mes sœurs, ... , elles voyagent à travers L'Europe.
g. Anne et Michel, ... , vont rendre visite à leurs amis espagnols.
h. Et . . . . , j'adore Paris l'été.

276 Utilisez les pronoms après les prépositions.

Exemple : Je t'attends, viens chez ***moi*** quand tu veux.

a. Si tu as envie d'emmener tes sœurs, viens avec . . . .
b. La semaine prochaine, c'est l'anniversaire de Paul ; ce cadeau est pour . . . .
c. Elle n'habite plus chez ses parents mais elle a pris un studio à côté d' . . . .
d. Christine n'est pas drôle ; à cause d' . . . . , on est arrivé en retard au théâtre.

e. J'ai rencontré les Mareck ; c'est par . . . . . . que j'ai appris votre mariage.
f. Heureusement que tu l'as aidée. Grâce à . . . . . . , elle a réussi son examen.
g. Je voudrais le connaître, parle-lui de . . . . . . quand tu le verras.
h. Si tu penses à . . . . . . , donne-nous de tes nouvelles, ça nous fera plaisir.

277 **Répondez aux questions suivantes en employant un pronom.**

Exemple : Tu viens avec nous ? → D'accord, je viens avec ***vous.***

a. Vous nous donnez rendez-vous à midi ? . . . .
b. Elle fait ce tableau pour ses parents ? . . . .
c. Tu voyages avec Catherine cette année ? . . . .
d. Tu ne reconnais pas cette actrice ? . . . .
e. Vous avez offert ce disque à Nicolas ? . . . .
f. Elle marche devant ses amies ? . . . .
g. Ton mari est près de toi ? . . . .
h. Nous dînerons sans Michèle et toi ? . . . .

D. Les pronoms *en* et *y*

278 **Répondez aux questions suivantes en utilisant** *y.*

Exemples : Émilie fait un voyage à Venise ? → Oui, elle ***y*** fait un voyage.
Raphaël vit en Angleterre ? → Non, il n'***y*** vit pas.

a. Vous travaillez chez Renault ? → Oui, ...
b. Elle entre cette année à la fac ? → Oui, ...
c. On se retrouve au Bar des Amis ? → Oui, ...
d. Cet hiver, tu passes une semaine au Maroc ? → Non, ...
e. Ces adolescents font leurs études à Boston ? → Oui, ...
f. Tu vas à l'école aujourd'hui ? → Non, ...
g. Sylvie habite rue de Buci ? → Oui, ...
h. On déjeune au restaurant universitaire à midi ? → D'accord, ...

279 **Répondez aux questions suivantes en utilisant** *y.*

Exemples : Vous passez vos vacances en Autriche ? → Oui, nous ***y*** passons nos vacances.
Il a rencontré sa femme au Nigéria ? → Oui, il ***y*** a rencontré sa femme.

a. Tes amis louent une maison sur la Côte d'Azur ? → Oui, ...
b. Martine habite au bord de la mer ? → Oui, ...
c. Ils passeront une semaine à Barcelone ? → Oui, ...
d. Vous avez skié dans les Alpes ? → Oui, ...
e. Ton frère fera une marche en montagne ? → Oui, ...
f. Tu es passée au supermarché ? → Oui, ...
g. Ton amie partira bientôt pour les Antilles ? → Oui, ...
h. Les enfants ont marché sur la pelouse ? → Oui, ...

280 **Répondez aux questions suivantes en employant le pronom *en*.**

Exemple : Elle vient de Tahiti ? → Oui, elle ***en*** vient.

a. Tu sors du bureau ? → Oui, ...
b. Ton professeur part de l'université de bonne heure ? → Oui, ...
c. Ta mère vient d'Italie ? → Oui, ...
d. Les enfants rentrent de l'école à 16 heures ? → Oui, ...
e. Vous recevez des nouvelles du Vietnam ? → Oui, ...
f. Vous revenez de Corse ? → Oui, ...
g. Tu rentres de la bibliothèque ? → Oui, ...
h. Ces étudiants arrivent du centre des examens ? → Oui, ...

281 **Mettez en relation questions et réponses.**

(a) Tu veux un café ? → 2
b. Tu veux des cerises ?
c. Vous prenez de l'essence ?
d. Une tarte, ça vous dit ?
e. Tu fumes des cigares ?
(f.) Tu bois de la bière ?
g. Tu manges des bonbons ?
h. Voulez-vous une tisane ?

1. J'en prends.
2. J'en prends un.
3. J'en prends une.
4. J'en prends quelques-uns.
5. J'en prends quelques-unes.

282 **Répondez aux questions suivantes en employant *en*.**

Exemples : Ils ont beaucoup d'argent ? → Non, ils n'***en*** ont pas beaucoup.

Vous avez peu de temps libre ? → Oui, j'***en*** ai peu.

a. Ils achètent trop de vêtements ? → Oui, ...
b. Il te reste quelques fruits ? → Oui, ...
c. Mme Lariven a beaucoup de travail ? → Non, ...
d. Jean-Marc fait trop de sport ? → Oui, ...
e. Vous avez assez de monnaie ? → Non, ...
f. Ces étudiants suivent peu de cours ? → Oui, ...
g. Elle boit assez d'eau ? → Non, ...
h. Tu as suffisamment d'essence ? → Non, ...

283 **Lisez ces phrases et cochez ce que *y* ou *en* remplace.**

Exemple : Non, je n'***en*** achète pas souvent.

1. ☐ *au supermaché* **2.** ☒ *du vin* **3.** ☐ *les fromages*

a. Aline n'**y** va pas souvent. **1.** ☐ *en taxi* **2.** ☐ *à la patinoire* **3.** ☐ *avec ses amis*
b. Son fils **en** mange quelques-uns ? **1.** ☐ *des bonbons* **2.** ☐ *du chocolat* **3.** ☐ *des glaces*
c. Non, il n'**en** trouve pas souvent. **1.** ☐ *en Suisse* **2.** ☐ *les champignons* **3.** ☐ *du muguet*
d. Ma voisine **en** prend ? **1.** ☐ *les enfants* **2.** ☐ *du Portugal* **3.** ☐ *des auto-stoppeurs*

e. On **y** envoie les enfants chaque année. **1.** ☐ *de la classe de neige* **2.** ☐ *à Nice* **3.** ☐ *en train*

f. Désolée, j'**en** ai trop pris. **1.** ☐ *le métro* **2.** ☐ *les transports en commun* **3.** ☐ *du gâteau*

g. J'**en** arrive à l'instant. **1.** ☐ *des grands magasins* **2.** ☐ *à Paris* **3.** ☐ *au bord de la mer*

h. Elle **y** achète tout. **1.** ☐ *ses courses* **2.** ☐ *du marché* **3.** ☐ *au supermarché*

E. Les pronoms et l'impératif

284 Associez ces phrases.

Exemple : J'adore ***ta*** robe. → Prends-***la*** !

a. J'ai envie de chocolats.
b. Nous pouvons prendre une demi-bouteille ?
c. Nous avons envie de lire ce roman.
d. Nous aimerions faire des courses.
e. J'ai envie de téléphoner à ta sœur.
f. Je voudrais lire cette bibliographie ?
g. Nous aimerions téléphoner à nos amis belges.
h. On aimerait faire ce voyage.

1. Faites-en !
2. Prenez-en une !
3. Prends-en !
4. Téléphonez-leur !
5. Faites-le !
6. Lisez-le !
7. Téléphone-lui !
8. Lis-la !

285 Donnez l'ordre inverse en faisant attention aux mots soulignés.

Exemples : Racontez-moi vos aventures. → Ne ***me*** racontez pas vos aventures.
Ne regarde pas la télé. → Regarde-***la.***

a. Écoute cet enregistrement. . . . .
b. Ne me dis pas la vérité. . . . .
c. Partons pour l'Angleterre. . . . .
d. Ne mettez pas ce pull. . . . .
e. Buvez de l'eau ! . . . .
f. Ne prenez pas le métro aujourd'hui. . . . .
g. Téléphone-nous plus souvent. . . . .
h. Accompagne les enfants à l'école. . . . .

F. Place du pronom

repeat

286 Répondez aux questions suivantes en utilisant des pronoms.

Exemple : Avez-vous vu ce film ? (+) Oui, je ***l'***ai vu.
(-) Non, je ne ***l'***ai pas vu.

a. Céline a-t-elle emporté son sac ? (-) . . . .
b. Êtes-vous passé à la banque ? (+) . . . .
c. Vos amis ont-ils aimé ce restaurant ? (+) . . . .
d. Les étudiants se sont-ils inscrits à l'université ? (-) . . . .
e. Vous avez pris des fruits ? (-) . . . .
f. Avez-vous travaillé à l'usine ? (+) . . . .
g. Antoine a acheté un vélo d'occasion ? (+) . . . .
h. As-tu revu ton copain ? (-) . . . .

287 **Réécrivez ces phrases en remplaçant les mots soulignés par des pronoms.**

Exemple : Elle a envie de voir cette pièce ? → Elle a envie de ***la*** voir ?

a. Elle voudrait parler à M. Bouygues. . . . .
b. Je vais acheter des fruits. . . . .
c. Il n'a pas pu visiter le musée Picasso. . . . .
d. Elle ne devait pas fermer la porte. . . . .
e. Nous préférons acheter quelques magazines. . . . .
f. Alain souhaite aller à New York. . . . .
g. On déteste prendre le café dehors. . . . .
h. Je ne peux pas téléphoner à ces gens. . . . .

288 **Remettez ces phrases dans l'ordre.**

Exemple : le-viens-de-je-rencontrer → Je viens de le rencontrer.

a. dites-personne-ne-à-le → . . . .
b. le-Catherine-faire-ne-pas-peut → . . . .
c. voulons y-nous-aller → . . . .
d. l'-pas-a-il-ne-pris → . . . .
e. nous-donnez-ne-pas-ça → . . . .
f. de-refuse-écrire-je-lui → . . . .
g. portez-les-ne-pas → . . . .
h. vendu-ne-il-a-pas-l' → . . . .

289 **Trouvez la bonne réponse.**

Exemple : J'aimerais emprunter ce CD.

1. ☐ Ne lui empruntez pas ! **2.** ☐ Ils peuvent les emprunter. **3.** ☒ Prenez-le.

a. Vous ne téléphonez pas à la secrétaire ?
1. ☐ Je n'y téléphone pas.
2. ☐ On ne peut pas la joindre.
3. ☐ Si, on leur téléphone.

b. Les enfants ne veulent pas prendre l'avion ?
1. ☐ Si, prenez-les.
2. ☐ Non, mais ils doivent en prendre.
3. ☐ Si, ils vont le prendre.

c. Ta grand-mère a-t-elle appelé le médecin ?
1. ☐ Non, elle vient de l'appeler.
2. ☐ Si, mais elle n'arrive pas à le joindre.
3. ☐ Elle va l'appeler

d. Vous avez entendu ce bruit ?
1. ☐ Oui, je viens d'en faire.
2. ☐ Si, je viens d'en entendre.
3. ☐ Oui, on l'a entendu.

e. Ils pensent faire un voyage en Inde ?

1. ☐ Oui, ils souhaitent en faire quelques-uns.

2. ☐ Oui, ils ont très envie d'y voyager.

3. ☐ Oui, ils en viennent.

f. Tu ne peux pas nous accompagner à Orly ?

1. ☐ Si, tu peux nous en emmener.

2. ☐ Si, je voudrais vous y conduire.

3. ☐ Non, n'y allez pas

g. Jean a pu commander le canapé en velours ?

1. ☐ Non, il a oublié d'en commander.

2. ☐ Non, sa femme a refusé de l'acheter.

3. ☐ Oui, demande-lui.

h. Ce train va partir pour Toulon ?

1. ☐ Oui, il va en partir.

2. ☐ Non, il en vient.

3. ☐ Oui, il va en arriver.

Bilan

290 **Recopiez cette lettre et remplacez les mots soulignés par des pronoms.**

Chère Patricia, cher Michel

Nous avons passé quelques journées très agréables avec Michel et toi, mais il faut bien penser au travail et retourner au travail. Nous avons pris quelques photos et nous vous envoyons une photo très réussie de nous quatre. Vous ne connaissez pas bien Paris et nous espérons que vous pourrez bientôt venir à Paris. Nous avons fait une très belle promenade en forêt et nous avons beaucoup aimé la promenade. Il faut dire que nous avons eu de la chance avec le temps ; nous avons aussi eu de la chance car nous avons cueilli plein de champignons. J'ai trouvé ces champignons délicieux. Tu sais, Patricia, j'avais une jolie paire de gants ; je crois que j'ai oublié ma paire de gants sur la table de l'entrée. Pourrais-tu la renvoyer à Gilles ?

Nous avons été très heureux de rencontrer vos amis. Quand vous verrez vos amis, dites bonjour à vos amis de notre part.

Nous embrassons Michel et toi très fort. À bientôt !

Gilles et Isabelle.

IX. LE PASSÉ

Paris ne s'est pas fait en un jour.

A. Le passé récent

291 **Soulignez les verbes au passé récent.**

Exemples : Ils viennent de s'endormir. Tu viens avec nous.

a. Je viens de commencer ce livre.
b. Ces fruits viennent d'Israël.
c. Le vol AF 312 vient de Madrid.
d. L'avion pour Mexico vient de décoller.
e. Les enfants viennent de rentrer de l'école.
f. Je viens de la piscine.
g. On vient de rencontrer Mme Roux.
h. Elle vient de comprendre l'exercice.

292 **Complétez les phrases en mettant le verbe entre parenthèses au passé récent.**

Exemple : Le SMIC ***vient d'augmenter*** de 4% en juillet dernier. (augmenter)

a. La Caisse d'Allocations Familiales . . . . un nouveau service d'information. (créer)
b. Le dollar . . . . 5 centimes à la Bourse aujourd'hui. (perdre)
c. La mairie de Paris . . . . une nouvelle crèche dans le 14e arrondissement. (ouvrir)
d. Le nouveau président de la République . . . . un discours à la télévision. (faire)
e. Le ministre de la Défense . . . . (démissionner)
f. On . . . . le passage d'un violent ouragan sur Saint-Martin ? (annoncer)
g. Les auteurs de l'attentat de septembre . . . . leur action. (revendiquer)
h. On . . . . une cathédrale à Évry. (inaugurer)

293 **Répondez aux questions suivantes.**

Exemple : Tu téléphones maintenant ? → Non, ***je viens de téléphoner.***

a. Elle déjeune maintenant ? → Non, ...
b. Vous arrivez maintenant ? → Non, ...
c. Le train part maintenant ? → Non, ...
d. Vos voisins déménagent maintenant ? → Non, ...
e. Vous regardez ce film maintenant ? → Non, ...
f. Tu lis ce livre maintenant ? → Non, ...
g. Tu fais les courses maintenant ? → Non, ...
h. Nous signons le contrat maintenant ? → Non, ...

294 **Répondez plus précisément à ces questions.**

Exemple : Élise est sortie ? → Oui, ***elle vient de sortir*** il y a deux minutes.

a. Tu as compris cette blague ? → Oui, ...
b. Ils ont fini leurs devoirs ? → Oui, ...
c. Tu es rentrée chez toi ? → Oui, ...
d. Elle a pris ses médicaments ? → Oui, ...
e. Vous êtes allés à la banque ? → Oui, ...
f. Je suis passé devant votre magasin ? → Oui, ...
g. Elles ont branché l'ordinateur ? → Oui, ...
h. Tu as pris un café ? → Oui, ...

B. Le passé composé

295 **Donnez le participe passé de ces verbes au présent.**

Exemples : Je chante → J'ai ***chanté*** Il gèle → Il a ***gelé***

a. Je danse, j'ai . . . dansé . . . .
b. On donne, on a . . donné . . . .
c. Tu joues, tu as . . joué . . . .
d. Nous mangeons, nous avons . mangé . .
e. Elle parle, elle a . . parlé . . . .
f. Vous appelez, vous avez . . appelé . . . . . .
g. Il jette, il a . . jetté . . . .
h. J'étudie, j'ai . étudié . . . .

296 **Complétez ce tableau par l'infinitif ou par le participe passé.**

Exemples : Finir → ***Fini*** ***Comprendre*** ← Compris

a. Écrire → . . . .
b. . . . . ← Répondu
c. Grossir → . . . .
d. . . . . ← Lu
e. Apprendre → . . . .
f. . . . . ← Cru
g. Savoir → . . . .
h. . . . . ← Admis

297 **Donnez l'infinitif de ces verbes au passé composé.**

Exemple : Ils ont dû prendre un taxi. → ***Devoir***

a. Nous avons mis la table. → . . . .
b. J'ai entendu le téléphone. → . . . .
c. Ils ont fait le ménage. → . . . .
d. On a éteint la lumière ? → . . . .
e. Elle est venue nous voir. → . . . .
f. Vous avez bien répondu à la question ? → . . . .
g. Ma sœur a réussi son concours. → . . . .
h. Tu as vu le dernier film de Chabrol ? → . . . .

298 **Réécrivez ces phrases au présent.**

Exemple : Il a plu → ***Il pleut.***

a. Nous avons pu assister au concert. → . . . .
b. J'ai cru Marc. → . . . .
c. Elle a voulu un gâteau. → . . . .
d. Il a choisi un disque de Brel. → . . . .
e. Vous avez lu le dernier roman de Sollers ? → . . . .
f. Ils ont découvert le vaccin contre le Sida ? → . . . .
g. On a étendu la lessive. → . . . .
h. J'ai attendu quinze minutes devant chez toi. → . . . .

299 **Rayez ce qui ne convient pas.**

Exemple : Elles ont (~~prendre~~ – pris) le métro.

a. Vous avez (vouloir – voulu) ce disque, le voici !
b. Il est (revenu – revenir) plus tôt que prévu.
c. Nous avons (voir – vu) un excellent film.
d. J'ai (compris – comprendre) le sens de cette phrase de Albert Camus.
e. Elle a bien (apprendre – appris) sa leçon.
f. J'ai (réussir – réussi) mon examen de conduite.
g. On a (pu – pouvoir) visiter l'exposition Matisse.
h. Tu as (dû – devoir) arriver en retard à ton rendez-vous !

300 **Écrivez ces phrases au passé composé.**

Exemple : Nous voyageons en Provence → Nous ***avons voyagé*** en Provence.

a. Ils aiment la chaleur. . . . .
b. Vous faites des promenades en Camargue. . . . .
c. On goûte les plats typiques. . . . .
d. Vous voyez le massif des Maures. . . . .
e. Elle apprend la recette de la salade niçoise. . . . .
f. Nous visitons Avignon. . . . .
g. Tu joues à la pétanque à Aix. . . . .
h. Je découvre les villages du Lubéron. . . . .

301 **Remplacez le passé récent par le passé composé.**

Exemple : Elle vient d'interpréter *La Vie en rose* → Elle ***a interprété*** *La Vie en rose.*

a. Tu viens d'entendre une chanson d'Yves Montand. . . . .
b. Elles viennent d'écouter un poème de Jacques Prévert. . . . .
c. On vient de voir *Huis clos* de Jean-Paul Sartre. . . . .
d. Nous venons d'assister à une représentation du *Malade imaginaire.* . . . .

e. Je viens de revoir *Casque d'or* de Jacques Becker. . . . .
f. Il vient de relire *Le Rouge et le noir.* . . . .
g. Je viens de passer un bon moment en lisant *Les Frustrés* de Brétecher. . . . .
h. Vous venez de découvrir l'humour de Guy Bedos. . . . .

302 Écrivez au passé composé le verbe entre parenthèses.

Exemple : En 1739, Réaumur ***a mis*** au point le thermomètre. (mettre)

a. Au XVIIIe siècle, Parmentier . . . . culture de la pomme de terre en France. (développer)
b. En 1820, Pelletier et Caventou . . . . la quinine. (découvrir)
c. C'est Champollion qui . . . . à déchiffrer les hiéroglyphes. (réussir)
d. Pierre et Marie Curie . . . . deux fois le prix Nobel, en 1903 et 1911. (recevoir)
e. En 1909, Louis Blériot . . . . la Manche en avion. (traverser)
f. C'est Dominique Papin qui . . . . utiliser la force de la vapeur. (savoir)
g. Colbert . . . . l'Académie des Sciences en 1666. (créer)
h. Les frères Montgolfier . . . . les premiers ballons aérostatiques en 1783. (construire)

303 Lisez ce petit texte et soulignez les verbes qui emploient *être* au passé composé.

Exemple : Tintin est né en 1929...

Ce jeune reporter a voyagé dans le monde entier ; il est monté au sommet de l'Himalaya, il est descendu au fond des mers, il a exploré la jungle ; c'est ainsi qu'il est devenu un héros international. S'il est souvent tombé dans des pièges, ses amis l'ont toujours aidé à s'en sortir. C'est vrai qu'il est sorti de toutes les situations difficiles, même quand il est allé en Chine ou chez les Soviets. Il lui est arrivé de nombreuses aventures et Hergé en est toujours resté le seul maître. Même si Hergé est mort en 1983, les aventures de Tintin, traduites en 42 langues, sont venues et viennent encore rythmer nos rêves d'adolescents.

304 Complétez les expressions suivantes par *est* ou *a*.

Exemples : Elle ***a*** eu une peur bleue.
Il ***est*** tombé de haut.

a. Il . . . . fait des pieds et des mains pour avoir ce travail.
b. Elle . . . . allée de l'avant pour s'inscrire à l'université.
c. Il . . . . montré patte blanche pour avoir ce qu'il voulait.
d. Il . . . . pris les jambes à son coup car il . . . . eu très peur.
e. Elle . . . . gardé son sang froid face à la violence.
f. Elle . . . . dépassé les bornes dans son attitude.
g. Elle . . . . revenue de loin ; elle . . . . eu un très grave accident.
h. Il . . . . monté les escaliers quatre à quatre car il était en retard.

305 Complétez les phrases suivantes par *ont* ou *sont.*

Exemples : Elles **ont** bien dormi. Ils ***sont*** devenus amis.

a. Elles . . . . parties au bureau.
b. Ils . . . . travaillé toute la journée.
c. Ils . . . . sortis de bonne heure.
d. Elles . . . . tombées d'accord.
e. Ils . . . . pris leur douche à 7 heures.
f. Elles . . . . venues à Paris.
g. Elles . . . . dîné ensemble.
h. Ils . . . . rentrés tard.

306 Complétez les phrases suivantes par *être* ou *avoir.*

Exemples : Jean ***est*** arrivé à Paris la semaine dernière. Il ***a*** pris un bon hôtel au Quartier latin.

a. Il . . . . téléphoné à ses amis.
b. Ses amis l' . . . . invité chez eux.
c. Ils . . . . venus le chercher en voiture.
d. Après le déjeuner, ils . . . . allés au musée du Louvre.
e. Ils . . . . visité l'aile Richelieu.
f. Ils . . . . vu la Joconde ? Elle est superbe.
g. La visite . . . . duré environ 2 heures.
h. Enfin, ils . . . . pris une bière ensemble pour se reposer.

307 Réécrivez ces phrases au passé composé.

Exemple : Auguste Rodin naît à Paris en 1840 → Il ***est né*** en 1840.

a. Il suit des cours de dessin à partir de 1854. . . . .
b. En 1858, il devient mouleur pour gagner sa vie. . . . .
c. Il rencontre Rose, sa future femme, en 1864. . . . .
d. Il fait la guerre de 1870. . . . .
e. À partir de 1880, il entreprend ses grandes œuvres : *Les Portes de l'Enfer, le Penseur.*
. . . .
f. Il obtient ensuite un atelier où il rencontre Camille Claudel. . . . .
g. En 1887, il reçoit la Légion d'honneur et connaît la gloire. . . . .
h. Il vit une grande carrière de sculpteur et il meurt le 17 novembre 1917.
. . . .

308 Observez les exemples et complétez les participes passés si nécessaire.

Exemples : Elle est né**e** en 1815. Ils sont venu**s** à la maison.
Elle a fait des études scientifiques. Ils ont écouté une chanson de Cabrel.

a. Ils ont choisi. . . de partir pour la Jordanie.
b. Elle a adoré. . . le concert de Dutronc.
c. Elle est allé. . . faire des courses.
d. Elles sont descendu. . . à Cannes pour le week-end.
e. Elle a changé. . . de métier.
f. Ils sont devenu. . . fous de la montagne.
g. Elle est rentré. . . à quelle heure ?

309 Complétez les terminaisons des participes passés s'il y a lieu.

Exemples : Simone de Beauvoir est mort**e** en 1986.
Elle a écrit *Les Mandarins.*

a. Sarah Bernhardt a interprété. . . de nombreux rôles masculins au théâtre.
b. Zizi Jeanmaire est devenu. . . célèbre par sa chanson *Mon Truc en plumes.*
c. Édith Piaf a mené. . . une vie très mouvementée.
d. Marguerite Duras est né. . . en 1914.
e. Camille Claudel a vécu. . . une existence difficile.
f. Juliette Gréco a chanté. . . des textes de Jacques Prévert.
g. Colette, par ses romans, a souvent choqué. . . ses contemporains.
h. Mireille Mathieu a donné. . . des concerts en Chine.

310 Cochez la forme correcte.

Exemple : J'ai **1.**☐ *croisée* **2.**☒ *croisé* **3.**☐ *croisés* Suzanne, une vieille amie.

a. Elle a **1.**☐ *découverte* **2.**☐ *découvertes* **3.**☐ *découvert* de nouvelles lois en physique.
b. Elles ont **1.**☐ *passé* **2.**☐ *passés* **3.**☐ *passées* quelques jours au bord de la mer.
c. Ils sont **1.**☐ *resté* **2.**☐ *restées* **3.**☐ *restés* chez eux dimanche.
d. Elle a **1.**☐ *lancé* **2.**☐ *lancée* **3.**☐ *lancées* une nouvelle mode.
e. Ce matin, ils sont **1.**☐ *parti* **2.**☐ *parties* **3.**☐ *partis* en avance ?
f. Nos parents ont **1.**☐ *descendues* **2.**☐ *descendu* **3.**☐ *descendus* les valises.
g. Elle est **1.**☐ *allée* **2.**☐ *allées* **3.**☐ *allé* au théâtre avec une copine.
h. Ils ont **1.**☐ *passés* **2.**☐ *passés* **3.**☐ *passé* la soirée ensemble.

311 Singulier/Pluriel. Transformez les phrases sur le modèle donné.

Exemple : Il a bricolé le week-end dernier → ***Ils ont bricolé*** le week-end dernier.

a. Elle a rendu visite à des amis. . . . .
b. Tu es partie à la campagne ? . . . .
c. J'ai vu un beau film à la télé. . . . .
d. Elle est allée en discothèque. . . . .
e. Tu as nettoyé le jardin ? . . . .
f. Il est passé chez nous pour enregistrer un disque. . . . .
g. Elle a fait une jolie promenade. . . . .
h. Je suis rentrée de bonne heure aujourd'hui. . . . .

312 Transformez ces phrases sur le modèle donné.

Exemple : Elle a porté cette robe chez le teinturier.
→ Cette robe, elle l'a porté**e** chez le teinturier.

a. Il a acheté ce costume. . . . .
b. On a rangé l'armoire. . . . .
c. J'ai repassé cette chemise. . . . .

d. Elle a plié ces pull-overs. ....

e. Il a recousu son bouton de veste. ....

f. Elle a ciré ses chaussures. ....

g. J'ai lavé ces chaussettes. ....

h. Tu as nettoyé ton imperméable ? ....

313 **Reliez les éléments pour en faire des phrases (parfois plusieurs possibilités).**

a. Cette nouvelle,
b. Le bibliothécaire,
c. Ses livres,
d. Le professeur d'anglais
e. Mon bureau,
f. Ces étudiants
g. Votre explication,
h. La bibliographie

1. que je n'ai jamais vus sont étrangers.
2. elle les a achetés à la Fnac.
3. je l'ai lue l'an dernier.
4. je ne l'ai pas bien comprise.
5. que j'ai perdue était très importante pour moi.
6. on l'a croisé ce matin dans la rue.
7. que j'ai eu l'an dernier venait de Brighton.
8. je l'ai déjà rangé.

314 **Écrivez ces phrases au passé composé.**

Exemple : Nathalie se réveille à 7 heures. → Nathalie ***s'est réveillée*** à 7 heures.

a. Elle se lève quelques minutes plus tard. ....

b. Peu après, elle se douche. ....

c. Ensuite, elle s'habille. ....

d. Puis, elle se coiffe. ....

e. Enfin, elle se maquille. ....

f. À 8 heures, elle se dépêche de prendre son petit déjeuner. ....

g. Elle se prépare à partir vers 8 h 20. ....

h. À 8 h 30, elle se dirige vers la station de métro. ....

315 **Voici comment Paul, étudiant, a passé sa soirée. Racontez au passé à partir des éléments donnés.**

Exemple : Se précipiter sur sa Mobylette à 18 heures. → Il ***s'est précipité*** sur sa Mobylette...

a. Se rendre dans sa chambre d'étudiant. ....

b. S'allonger sur son lit en arrivant. ....

c. Se reposer une petite demi-heure. ....

d. S'inquiéter de son dîner. ....

e. S'inviter chez sa sœur. ....

f. Se changer avant de sortir. ....

g. Se retrouver avec plaisir. (tous les deux) ....

h. Se coucher très tard dans la nuit. (tous les deux) ....

316 Adèle est secrétaire. Racontez sa journée au passé composé. Attention aux accords des participes passés.

Exemple : Elle arrive à son bureau à 9 h 15. → Elle ***est arrivée*** à son bureau à 9 h 15.

a. Elle embrasse ses collègues. ....

b. Elle s'assoit et ouvre son courrier. ....

c. Elle se met au travail vers 9 h 30. ....

d. Elle fait une pause dans la matinée et elle prend un thé.

....

e. Elle répond au courrier, classe des documents et s'occupe du standard.

....

f. Elle s'arrête à midi et achète un sandwich. ....

g. Elle quitte le bureau à 18 heures. ....

h. À ce moment-là, elle se dirige vers le métro pour passer la soirée chez elle.

....

317 Faites des réponses négatives selon le modèle donné.

Exemple : Vous êtes passé au centre Télécom ? → ***Je ne suis pas passé*** au centre Télécom.

a. Vous avez utilisé le fax ? ....

b. Elle a demandé le Minitel ? ....

c. On a installé le téléphone ? ....

d. Il s'est servi du téléphone portable ? ....

e. Vous avez reçu la facture du téléphone ? ....

f. Elle a su utiliser le répondeur ? ....

g. Tu as laissé un message ? ....

h. Ils ont envoyé une télécopie ? ....

318 Écrivez ces phrases au passé composé.

Exemples : Je ne comprends rien. → Je n'***ai*** rien ***compris.***

Elle ne reçoit personne. → Elle n'***a reçu*** personne.

a. Ils ne veulent rien. ....

b. On n'invite personne samedi soir. ....

c. Tu n'achètes rien ? ....

d. Elle ne croise personne dans l'escalier. ....

e. Vous n'entendez rien ? ....

f. On ne mange rien ce soir. ....

g. Nous n'écrivons à personne. ....

h. Il ne s'occupe de rien. ....

319 **Soyez curieux ! Posez des questions sur leur rencontre.**

Exemple : Où se sont-ils rencontrés ? ← Dans un café, près du Capitole.

a. .... ← Non, ils ne se sont pas parlé tout de suite.
b. .... ← Oui, ils se sont regardés.
c. .... ← Oui, il s'est approché d'elle.
d. .... ← Oui, elle lui a proposé de s'asseoir.
e. .... ← Oui, il lui a offert un café.
f. .... ← Non, elle est partie peu de temps après.
g. .... ← Oui, ils se sont revus tous les jours.
h. .... ← Oui, ils se sont mariés la semaine dernière.

320 **Posez des questions sur les loisirs.**

Exemple : Avez-vous regardé la TV hier soir ? ← Oui, hier soir, j'ai vu un film sur France 2.

a. .... ← Non, cette semaine, je ne suis pas allée au cinéma.
b. .... ← Oui, j'ai fait du sport samedi matin.
c. .... ← Oui, j'ai fait une heure de natation avec une amie.
d. .... ← Oui, j'ai acheté trois magazines cette semaine.
e. .... ← J'ai acheté *Elle* et *Le Nouvel Observateur*.
f. .... ← Le week-end dernier, je suis allée chez mes parents.
g. .... ← J'ai discuté avec ma mère et nous avons jardiné.
h. .... ← Oui, j'ai visité l'exposition Cézanne, jeudi en nocturne.

321 **Répondez à ces questions en utilisant l'adverbe entre parenthèses.**

Exemples : A-t-elle dormi dans le train ? (bien) → Oui, elle a ***bien*** dormi dans le train.
Ont-ils répondu à la question ? (correctement) → Non, ils n'ont pas répondu ***correctement*** à la question.

a. Avez-vous progressé ce trimestre ? (beaucoup) → Oui, ...
b. A-t-elle regardé la télévision ? (souvent) → Non, ...
c. Ont-ils joué au tennis hier soir ? (un peu) → Oui, ...
d. Les enfants ont-ils déjeuné ce matin ? (bien) → Non, ...
e. Êtes-vous allés au cinéma ce mois-ci ? (souvent) → Oui, ...
f. A-t-il mangé ce soir ? (trop) → Oui, ...
g. Ont-ils suivi les cours d'histoire ? (régulièrement) → Oui, ...
h. Avez-vous maigri cette semaine ? (assez) → Non, ...

C. L'IMPARFAIT

322 Remplacez le présent par l'imparfait.

Exemple : Aujourd'hui, tu joues du piano ? → Il y a 5 ans, tu ***jouais*** du piano ?

a. Aujourd'hui, je vais à l'université. → Il y a 5 ans, ...
b. Aujourd'hui, vous êtes marié. → Il y a 20 ans, ...
c. Aujourd'hui, ils ont des problèmes. → Il y a 2 ans, ...
d. Aujourd'hui, on travaille de bonne heure. → Il y a 20 ans, ...
e. Aujourd'hui, on voit des amis. → Il y a 1 an, ...
f. Aujourd'hui, elle fait du ski. → Il y a 10 ans, ...
g. Aujourd'hui, tu parles anglais. → Il y a 3 ans, ...
h. Aujourd'hui, nous écoutons la radio. → Il y a 20 ans, ...

323 Singulier/Pluriel. Réécrivez ces phrases sur le modèle donné.

Exemple : Elle bavardait beaucoup → ***Elles bavardaient*** beaucoup.

a. Tu mettais de beaux vêtements le dimanche. . . . .
b. Je voulais réussir dans la vie. . . . .
c. Elle devait travailler tard le soir. . . . .
d. Tu allumais le feu tous les matins. . . . .
e. Il ne pouvait pas toujours répondre. . . . .
f. Je mettais la table à chaque repas. . . . .
g. Tu déménageais souvent. . . . .
h. Elle faisait quelquefois la cuisine ? . . . .

324 Mettez les verbes entre parenthèses à l'imparfait.

Exemple : (habiter) On ***habitait*** dans un village.

a. (être) Mon père . . . . ouvrier.
b. (partir) Il . . . . travailler de bonne heure.
c. (se lever) Ma mère . . . . en même temps que mon père.
d. (aller) Les enfants . . . . à l'école tous ensemble.
e. (rentrer) Nous ne . . . . pas à midi.
f. (pouvoir) Le soir, nous . . . . jouer après les devoirs.
g. (prendre) On . . . . le repas du soir dans la cuisine.
h. (se coucher) Nous . . . . de bonne heure.

325 **À partir des éléments donnés, racontez la vie des Français au début du siècle. Utilisez l'imparfait.**

Exemple : Les femmes se marient avant 20 ans → Les femmes ***se mariaient*** avant 20 ans.

a. Les enfants naissent à la maison. . . . .
b. Plusieurs générations vivent sous le même toit. . . . .
c. On travaille souvent plus de 50 heures par semaine. . . . .
d. Les vacances n'existent pas encore. . . . .
e. Nous nous nourrissons essentiellement de pain. . . . .
f. Les filles aident leur mère à la maison. . . . .
g. Les garçons étudient davantage que leurs sœurs. . . . .
h. On accorde très peu d'importance aux loisirs. . . . .

326 **Rendez compte des changements depuis le début du siècle. Faites des phrases sur le modèle donné.**

Exemple : Aujourd'hui, en train, il faut quatre heures pour faire Paris-Marseille.
→ ***À ce moment-là, il ne fallait pas quatre heures pour faire Paris-Marseille.***

a. Aujourd'hui, on peut téléphoner à l'autre bout de la terre. → À ce moment-là, ...
. . . .
b. Aujourd'hui, on envoie des fax dans le monde entier. → À ce moment-là, ...
. . . .
c. Aujourd'hui, nous faisons le tour de la planète en 24 heures. → À ce moment-là, ...
. . . .
d. Aujourd'hui, vous avez la possibilité de travailler en restant chez vous. → À ce moment-là,
. . . .
e. Aujourd'hui, les enfants se servent tous les jours d'appareils compliqués. → À ce moment-là,
. . . .
f. Aujourd'hui, le Minitel permet de donner de nombreuses informations. → À ce moment-là,
. . . .
g. Aujourd'hui, le câble retransmet des images dans tous les pays. → À ce moment-là, ...
. . . .
h. Aujourd'hui, on a peur de la guerre nucléaire → À ce moment-là, ...
. . . .

D. Passé récent, passé composé et imparfait

327 **Complétez ces phrases par le verbe entre parenthèses, à l'imparfait ou au passé récent.**

Exemple : (arriver) Elle a encore son manteau, elle ***vient d'arriver.***

a. (mettre/avoir) On . . . . un pull parce qu'on . . . . froid.
b. (essayer/être) Suzanne, c'est toi ? Je . . . . de te téléphoner mais tu n' . . . . pas chez toi.
c. (s'ennuyer/partir) Comme Joseph . . . . , il . . . . y a quelques minutes.

d. (apporte) Le facteur . . . . le courrier ; regarde vite si tu as une lettre.
e. (fonctionner/tomber) Le magnétophone . . . . très bien ce matin mais il . . . . et il ne marche plus.
f. (trouver/chercher) Je . . . . le livre que je . . . . depuis des mois.
g. (croiser/marcher) Tu n'as pas vu le propriétaire ? Je . . . . le croiser, il . . . . dans notre rue.
h. (comprendre/dire) Elle . . . . ce que sa grand-mère lui . . . . quand elle était petite.

328 Choisissez entre le passé récent et le passé composé.

Exemple : **Émile était au chômage et il (a retrouvé – vient de retrouver) aujourd'hui même un nouvel emploi.**

a. L'année dernière, nous (avons visité – venons de visiter) le Portugal.
b. Le téléphone est libre ; (j'ai raccroché – je viens de raccrocher) à l'instant.
c. Vous n'avez pas trouvé un gant ? (je l'ai perdu – je viens de le perdre) en sortant de votre magasin, il y a une seconde.
d. Il vient du bureau de tabac. Il (a acheté – vient d'acheter) un carnet de timbres.
e. Ma fille (a pris – vient de prendre) froid la semaine dernière. Elle (est restée – vient de rester) trois jours à la maison.
f. Le téléviseur est encore chaud ; tu (l'as arrêté – viens de l'arrêter).
g. Nous (sommes arrivés – venons d'arriver) ; notre train est encore en gare.
h. Regarde, Papi, (j'ai attrapé – je viens d'attraper) un gros poisson ! Tu m'aides à le sortir de l'eau ?

329 Mettez les verbes entre parenthèses à l'imparfait ou au passé composé.

Exemple : **Au XVIIIe siècle, en France, la vie intellectuelle (se passer) *se passait* dans les salons.**

a. C'(être) . . . . une période de liberté.
b. Montesquieu (écrire) . . . . *Les Lettres persanes,* une satire de la France en 1721.
c. Voltaire (combattre) . . . . le fanatisme et l'intolérance toute sa vie.
d. La Révolution (commencer) . . . . en 1789.
e. Paris (représenter) . . . . un centre artistique et littéraire.
f. Depuis le début du siècle, les bourgeois (demander) . . . . le partage du pouvoir.
g. Les philosophes (vouloir) . . . . le pouvoir de la raison.
h. La société de l'Ancien Régime (reposer) . . . . sur l'inégalité.

330 Réécrivez les phrases suivantes en employant l'imparfait ou le passé composé.

Exemple : **Ils déménagent parce qu'ils attendent un enfant**
→ Ils *ont déménagé* parce qu'ils *attendaient* un enfant.

a. Tu as un abonnement sur les lignes d'Air France ; tu bénéficies de vols gratuits.
. . . .
b. Martine change d'emploi car elle s'entend très mal avec son patron.
. . . .

c. L'ouragan est très violent ; il provoque des dégâts importants sur l'île.

. . . .

d. Il pleut depuis une semaine et brusquement le soleil revient !

. . . .

e. Antoine s'endort alors qu'il veut voir ce film.

. . . .

f. Nous voulons prendre le train et finalement, c'est en avion que nous voyageons.

. . . .

g. Je ne trouve pas le livre que je cherche.

. . . .

h. Comme il ne se sent pas bien, Marc rentre chez lui.

. . . .

331 Choisissez la forme verbale correcte.

Exemple : **. . . . ce livre, je l'ai rapporté hier à la bibliothèque.**

1.☐ *J'ai lu* **2.**☐ *Je lisais* **3.**☒ *Je viens de lire*

a. Ne faites pas de bruit, les enfants . . . .

1.☐ *s'endormaient* **2.**☐ *viennent de s'endormir* **3.**☐ *se sont endormis.*

b. Quand nous étions jeunes, nous . . . . à la pêche.

1.☐ *partions* **2.**☐ *venions de partir* **3.**☐ *sommes partis*

c. Il faisait nuit, on avait peur. Tout à coup, on . . . . un cri terrible.

1.☐ *entendait* **2.**☐ *vient d'entendre* **3.**☐ *a entendu*

d. Comme ils . . . . au milieu des bois, ils ont fait installer une alarme très perfectionnée.

1.☐ *vivaient* **2.**☐ *viennent de vivre* **3.**☐ *ont vécu*

e. Tu n'as pas de chance, Cécile . . . . il y a deux minutes.

1.☐ *partait* **2.**☐ *vient de partir* **3.**☐ *est partie*

f. Il lui a offert la bague qu'elle . . . . si souvent.

1.☐ *regardait* **2.**☐ *venait de regarder* **3.**☐ *a regardée*

g. L'an dernier, vous . . . . la maison où vous habitiez enfant ?

1.☐ *vendiez* **2.**☐ *venez de vendre* **3.**☐ *avez vendu*

h. Le Gaumont Palace, un grand cinéma qui . . . . place Clichy à Paris, a été détruit en 1973.

1.☐ *se trouvait* **2.**☐ *vient de se trouver* **3.**☐ *s'est trouvé*

332 **Voici les réponses à certaines questions que vous vous posez sur Paris. Choisissez la forme verbale correcte.**

a. *Qui (vient d'écrire – écrivait – a écrit) :* Paris est une fête *? C'est Hemingway en 1960.*

b. *Les chaises sont-elles encore payantes au jardin du Luxembourg ? En 1974, on (vient d'arrêter – arrêtait – a arrêté) de faire payer les chaises. En 1961, une chaise (vient de coûter – coûtait – a coûté) 12 centimes.*

c. *Quelles pièces de théâtre sont jouées depuis longtemps à Paris ?* La Cantatrice chauve *et* La Leçon *(viennent d'être – étaient – ont été) jouées sans arrêt depuis 1946 au théâtre de La Huchette.*

d. *Depuis quand peut-on visiter les égouts ? La première visite (vient d'avoir – avait – a eu) lieu en 1857 grâce au préfet Haussmann.*

e. *Quel artiste (vient de chanter – chantait – a chanté) le plus souvent à l'Olympia ? C'est Gilbert Bécaud ; il (vient de porter – portait – a porté) très souvent une cravate à pois. Il (vient de donner – donnait – a donné) vingt concerts entre 1954 et 1991.*

f. *En quelle année (vient-il de faire – faisait-il – a-t-il fait) très chaud à Paris ? En juillet 1947, les températures (viennent d'atteindre – atteignaient – ont atteint) 40°C.*

g. *Où peut-on trouver la tombe du cinéaste François Truffaut ? On (vient de l'enterrer – l'enterrait – l'a enterré) au cimetière Montmartre.*

h. *Quel est le dernier des grands travaux qu'on (vient d'inaugurer – inaugurait – a inauguré) en 1995 ? La Très Grande Bibliothèque de France. François Mitterrand (vient de décider – décidait – a décidé) cette création parce que la Bibliothèque Nationale (vient de devenir – devenait – est devenue) trop étroite.*

X. LE FUTUR

Un "tiens" vaut mieux que deux "tu l'auras".

A. Le présent à valeur de futur

333 **Soulignez les verbes qui ont une valeur de futur.**

Exemples : Ils vivent à la campagne.
Je ne pars pas la semaine prochaine.

a. Les enfants s'amusent dans le jardin.
b. Le train arrive.
c. Samedi, nous invitons nos amis.
d. Ils ne travaillent pas lundi prochain.
e. Ce soir, on sort.
f. Tu sais conduire ?
g. L'année prochaine, j'étudie l'espagnol.
h. Elle me téléphone le lundi.

334 **Soulignez le verbe *aller* quand il a une valeur de futur.**

Exemples : Je vais au bord de la mer.
On va prendre un taxi.

a. Tu vas acheter *L'Équipe* ?
b. Il va au kiosque devant le métro ?
c. Elle va demander *Le Figaro*.
d. Je ne vais pas acheter *Le Monde* aujourd'hui.
e. Nous allons à la Maison de la presse tous les matins.
f. Ils vont à la médiathèque pour feuilleter des magazines.
g. Elle va lire *Libération* dans le métro.
h. Vous allez vous abonner à *France-Soir* ?

B. Le futur proche

335 **Répondez aux questions suivantes sur le modèle donné.**

Exemple : Actuellement, vous travaillez chez Renault ?
→ Non, mais ***je vais bientôt travailler*** chez Renault.

a. Actuellement, elle étudie l'anglais ? → Non, mais . . . .
b. Actuellement, tu vis à Paris ? → Non, mais . . . .
c. Actuellement, vous faites une pause ? → Non, mais . . . .
d. Actuellement, vos amis voyagent en Europe ? → Non, mais . . . .

e. Actuellement, tu enregistres cette émission ? → Non, mais ....

f. Actuellement, on a de l'argent ? → Non, mais ....

g. Actuellement, il est français ? → Non, mais ....

h. Actuellement, vous parlez russe ? → Non, mais ....

336 **Voici le programme du premier jour d'un circuit touristique en Tunisie. Commentez-le en employant le futur proche.**

Exemple : Arrivée à Tunis à 10 h 40. (arriver) → Vous ***allez arriver*** à Tunis à 10 h 40.

a. Dépôt des bagages à l'hôtel. (déposer) ....

b. Déjeuner sur la terrasse de l'hôtel à 12 h 30 : (déjeuner) ....

c. 14 h 00 - Départ pour Carthage. (partir) ....

d. 15 h 00 -17 h 00 - Visite guidée des ruines. (visiter) ....

e. Dégustation de pâtisseries arabes. (déguster) ....

f. Retour à l'hôtel. (rentrer) ....

g. Dîner cabaret à 20 h 30. (dîner) ....

h. Spectacle folklorique à la salle de spectacles (voir) ....

337 **Voici le programme électoral du maire de Perros-Guirec. Faites des phrases complètes au futur proche.**

Exemple : Interdire les trottoirs aux chiens. (on) → ***On va interdire*** les trottoirs aux chiens.

a. Agrandir les espaces verts. (la municipalité) ....

b. Sortir de l'école à 16 heures. (les enfants) ....

c. Créer un centre culturel. (nous) ....

d. Recevoir des aides financières. (vous) ....

e. Ouvrir un théâtre municipal. (je) ....

f. Faire des voies piétonnes. (on) ....

g. Installer des bancs dans les rues. (nous) ....

h. Participer aux réunions du conseil municipal. (vous) ....

C. Le futur simple

338 **Écrivez ces verbes au futur.**

Exemples : Jouer : tu ***joueras*** Prendre : tu ***prendras***

a. Boire : je ....

b. Écrire : vous ....

c. Danser : tu ....

d. Prendre : elle ....

e. Dire : nous ....

f. Chanter : on ....

g. Grandir : tu ....

h. Mettre : je ....

339 Retrouvez l'infinitif de ces verbes.

Exemples : Tu verras : ***voir*** Vous tiendrez : ***tenir***

a. Je serai : . . . .
b. Vous devrez : . . . .
c. Tu iras : . . . .
d. On aura : . . . .
e. Je courrai : . . . .
f. Nous saurons : . . . .
g. Vous ferez : . . . .
h. Ils pourront : . . . .

340 Mettez ces verbes au pluriel.

Exemple : Tu décrocheras le téléphone → ***Vous décrocherez*** le téléphone.

a. Il composera le 11. . . . .
b. Je brancherai le Minitel. . . . .
c. Elle inscrira sa demande sur le clavier. . . . .
d. Tu attendras la réponse. . . . .
e. Je lirai les renseignements fournis. . . . .
f. Il notera ces informations. . . . .
g. J'éteindrai le Minitel. . . . .
h. Elle pourra téléphoner aux Martin. . . . .

341 Associez les éléments suivants pour en faire des phrases (parfois plusieurs possibilités).

a. L'année prochaine, vous → 3.
b. Si Marc a le temps, il
c. Je partirai travailler à Madrid quand j'
d. Dans quelques jours, nous
e. Si vous êtes malade, vous
f. Quand le film sera fini, tu
g. Tous les jours, ils
h. Elle a téléphoné au technicien ; il

1. prendront les transports en commun.
2. viendra chez nous lundi à 5 heures.
3. passerez des vacances plus calmes.
4. devras faire quelques courses.
5. ira chez le coiffeur ce soir.
6. aurai assez d'argent.
7. recevrons nos meubles de cuisine.
8. appellerez le médecin.

342 Associez situations et phrases au futur.

Exemple : Dans le cabinet médical : " Vous suivrez ce traitement pendant 5 jours."

a. À la poissonnerie :
b. À la pharmacie :
c. À la banque :
d. Chez le boucher :
e. Chez la coiffeuse :
f. Chez le fleuriste :
g. À la poste :
h. À la pâtisserie :

1. " Pourrez-vous m'envoyer un nouveau carnet de chèques ?"
2. " Quand aurez-vous ces médicaments ?"
3. " Je viendrai chercher ce gâteau vers 11 h 30."
4. " Je serai prête pour 19 heures ?"
5. " Vous recevrez probablement votre colis demain."
6. " À quelle heure m'apporterez-vous ce plateau de fruits de mer ?"
7. " Ce poulet devra cuire combien de temps ?"
8. " Vous voudrez bien livrer ces fleurs à Mme Vallet ! Voici son adresse…"

343 Écrivez les verbes entre parenthèses au futur.

Exemple : Quand il ***sera*** grand, il ***ira*** étudier à l'étranger. (être – aller)

a. Nous . . . . lorsque la pluie . . . . (sortir – s'arrêter)
b. Vous . . . . votre bureau et vous . . . . vos amis au théâtre. (quitter – rejoindre)
c. Elle . . . . quand elle . . . . 18 ans. (conduire – avoir)
d. Je . . . . mieux lorsque je . . . . des lunettes. (voir – porter)
e. Lorsque tu . . . . la fatigue, tu . . . . un café. (sentir – prendre)
f. Nous . . . . la voiture quand vous le . . . . (prendre – vouloir)
g. Elle . . . . des progrès quand elle . . . . sérieusement. (faire – étudier)
h. Vous . . . . plus vite lorsqu'il . . . . plus fort. (courir – pleuvoir)

344 Reformulez les prévisions de cette voyante au futur simple.

Exemple : Vous allez faire une rencontre importante → Vous ***ferez*** une rencontre importante.

a. Votre situation professionnelle va s'améliorer. . . . .
b. Vous allez connaître un grand amour. . . . .
c. Il va durer plusieurs années. . . . .
d. Puis, vous allez être déçue. . . . .
e. Alors, votre vie va changer. . . . .
f. Quelqu'un va tomber follement amoureux de vous. . . . .
g. Vous allez vivre le bonheur parfait toute votre vie. . . . .
h. Vous allez avoir beaucoup de chance. . . . .

345 Réécrivez ces consignes au futur simple.

Exemple : Quand vous arrivez, vous nettoyez la chambre des enfants
→ Quand vous ***arriverez***, vous ***nettoierez*** la chambre des enfants.

a. Il faut refaire les lits. . . . .
b. Vous lavez les vitres du salon. . . . .
c. N'oubliez pas d'essuyer la poussière sur les meubles. . . . .
d. Il y a du repassage à finir. . . . .
e. Vous étendez le linge qui est dans la machine à laver. . . . .
f. À 16 h 30, vous allez chercher les enfants à l'école. . . . .
g. Vous me dites combien je vous dois pour le mois de septembre. . . . .
h. Vous partez à l'heure habituelle. . . . .

346 Complétez ces fragments de chansons par les verbes entre parenthèses au futur.

Exemple : (aller) Nous n'***irons*** plus au bois, les lauriers sont coupés.

a. (voir – recommencer) Ah, tu . . . . . . , tout . . . . . . !
b. (revenir) Il . . . . . . à Pâques ou à la Trinité.
c. (avoir) J'ai du bon tabac dans ma tabatière, j'ai du bon tabac, tu n'en . . . . . . pas !
d. (chanter) Quand nous . . . . . . le temps des cerises...

e. (oublier) Il y a longtemps que je t'aime, jamais je ne t' . . . .

f. (boire) Goûtons voir si le vin est bon. S'il est bon, s'il est agréable, j'en . . . . . . jusqu'à mon plaisir.

g. (mourir) Quand . . . . . . -tu carillonneur, que Dieu créa pour mon malheur.

h. (descendre) Petit Papa Noël, quand tu . . . . . . du ciel.

347 **Soyez rassurant sur la météo de demain. Faites des phrases sur le modèle donné.**

Exemple : Aujourd'hui, il pleut à Lyon → Demain, il ***ne pleuvra pas*** à Lyon.

a. Aujourd'hui, il n'y a pas de soleil à Cannes. → Demain, ...

b. Aujourd'hui, Il fait froid à Lille. → Demain, ...

c. Aujourd'hui, il neige à Chamonix. → Demain, ...

d. Aujourd'hui, les températures baissent dans le Nord. → Demain, ...

e. Aujourd'hui, une tempête se prépare en Bretagne. → Demain, ...

f. Aujourd'hui, le vent souffle très fort à Biarritz. → Demain, ...

g. Aujourd'hui, il gèle à Valmorel. → Demain, ...

h. Aujourd'hui, il faut faire attention au verglas dans l'Est. → Demain, ...

D. Le futur proche et le futur simple

348 **Réunissez les éléments pour en faire des phrases (parfois plusieurs possibilités).**

a. Je vais vous passer M. Buisson, vous	1. allez avoir froid.
b. Dans quelques années, vous	2. allez voir la suite de votre feuilleton.
c. À la rentrée prochaine, vous	3. irez les voir dimanche.
d. Les enfants, mettez vos manteaux, vous	4. fêterez vos quarante ans.
e. L'an prochain, vous →	5. prendrez votre retraite.
f. Dans quelques secondes, vous	6. vous marierez bientôt.
g. C'est promis, vous	7. ne quittez pas.
h. Je suis certaine que vous	8. suivrez un stage aux États-Unis.

349 **Choisissez pour les phrases suivantes le futur proche ou le futur simple.**

Exemple : Écoute cette histoire, tu (vas rire- ~~riras~~) !

a. Quand vous (téléphonerez – allez téléphoner), on prendra la décision définitive.

b. Dans deux ans, nous (fêterons – allons fêter) nos noces d'or.

c. La secrétaire me dit que le directeur (s'occupera – va s'occuper) de moi dans une minute.

d. Je suis convaincue qu' (on soignera – on va soigner) bientôt le Sida.

e. Reste calme ! Ta grand-mère (ouvrira – va ouvrir) la porte dans quelques secondes.

f. Paul espère qu'il (aura – va avoir) une bonne note à son devoir de mathématiques.

g. Dans six mois, (ce sera – ça va être) le printemps.

h. Elles (arriveront – vont arriver) d'une minute à l'autre.

350 **Mettez les verbes entre parenthèses au futur simple ou au futur proche.**

Exemple : En 2025, on ***paiera*** peut-être en Euros à travers toute l'Europe. (payer)

a. Je raccroche, je . . . . en retard. (être).
b. Qu'est-ce que vous . . . . maintenant ? (faire).
c. Quand elles . . . . bien français, elles feront un beau voyage en France ? (parler).
d. Entre une seconde, je . . . . un café. (te préparer).
e. Dépêchez-vous, nous . . . . le train ! (rater).
f. Un jour, mon frère . . . . en Provence. (vivre).
g. Mets la radio, on . . . . les informations. (écouter).
h. Pendant que tu dormiras, j' . . . . (étudier).

E. La condition (l'hypothèse réalisable avec *si*)

351 **Indiquez par la lettre *C* les phrases qui expriment une condition.**

Exemples : Ils reviendront quand ils voudront. ( )
Si vous répondez rapidement, vous recevrez un cadeau. (c)

a. Tu pourras conduire si je suis fatigué ? ( )
b. Quand le printemps reviendra, les Parisiens partiront en week-end. ( )
c. Je serai très fière si j'arrête de fumer. ( )
d. Si on trouve des champignons, on les mangera ce soir. ( )
e. Tu achèteras une voiture si tes parents te prêtent de l'argent ? ( )
f. Quand il fera du sport, il maigrira. ( )
g. Hélène entrera à la fac si elle réussit son bac ? ( )
h. Vous pourrez me rendre ce livre la semaine prochaine ? ( )

352 **Associez les éléments pour en faire des phrases (parfois plusieurs possibilités).**

a. S'il pleut dimanche,
b. S'il gèle cette nuit,
c. Nous ferons une promenade en forêt
d. Tu mettras des vêtements chauds
e. Je me baignerai
f. Nous prendrons des coups de soleil
g. Claire apportera un parasol
h. S'il fait chaud cet été,

1. si la mer est chaude.
2. si tu pars en Scandinavie.
3. si nous restons trop longtemps sur la plage.
4. les routes seront dangereuses demain matin.
5. on passera de bonnes vacances en Bretagne.
6. si elle craint le soleil.
7. vous ferez du bricolage dans la maison.
8. s'il fait beau ce week-end.

353 Complétez les phrases suivantes en mettant les verbes entre parenthèses au futur simple ou au présent.

Exemple : (se perdre) Si vous ***vous perdez,*** vous demanderez le chemin.

a. (prendre) Si tu rates le train de 8 h 07, tu . . . . le suivant.
b. (courir) Si nous sommes en retard, nous . . . . un peu.
c. (réserver) Si ta sœur . . . . sa place maintenant, elle pourra prendre le TGV.
d. (déménager) Nous louerons un appartement plus grand si nous . . . .
e. (devoir) Si on rentre après 1 heure du matin, on . . . . prendre un taxi.
f. (apprécier) Vous . . . . les Landes si vous aimez les forêts de pins.
g. (envoyer) Si je pars en vacances à la Toussaint, je t' . . . . une carte postale.
h. (être) Michèle . . . . très heureuse si on lui rend visite dimanche.

354 Complétez les phrases suivantes.

Exemples : Si tu es malade, ***tu appelleras le médecin.***
Elle fera un beau voyage ***si elle part en Italie.***

a. Vous réussirez votre examen si . . . .
b. Si tu ne pars pas maintenant, ...
c. Je resterai chez moi si . . . .
d. Si Suzanne a trop de travail, ...
e. Son frère deviendra directeur du marketing si . . . .
f. Nous commencerons à dîner sans toi si . . . .
g. S'il y a trop de vent, ...
h. Si on est fatigué, ...

355 **Rayez ce qui ne convient pas dans ce discours.**

Chers habitants de Pen Lan,

Je suis votre nouveau maire et je (vais apporter – apporterai), en accord avec vous, quelques changements dans notre ville. Samedi prochain, vous (allez être – serez) invités à la mairie pour une soirée amicale. J'espère que vous (allez venir – viendrez) nombreux !

Ensemble, nous (allons décider – déciderons) les nouvelles orientations de Pen Lan. Si vous avez des idées sur l'aménagement de la place de l'église, sur le projet concernant l'école maternelle, je (vais être – serai) content de les entendre. Nous (allons commencer – commencerons) ensemble une vie nouvelle à Pen Lan avec plus de possibilités de loisirs : à la fin de l'année, la piscine (va ouvrir – ouvrira) ses portes et dans deux ans, une bibliothèque (va accueillir – accueillera) les habitants de notre ville.

Si une personne souhaite s'occuper de la bibliothèque, elle (va pouvoir - pourra) déposer sa candidature pendant notre réunion de samedi. Si vous ne pouvez pas venir, vous (allez avoir – aurez) la possibilité de laisser vos coordonnées à la secrétaire de mairie.

Chers Penlannais, nous (allons travailler – travaillerons) ensemble pour faire de Pen Lan une ville encore plus agréable à vivre.

XI. LES PRONOMS RELATIFS

C'est l'intention qui compte.

A. Qui

356 **Réécrivez ces phrases en utilisant** *qui.*

Exemple : Daniel Pennac est un écrivain. Cet écrivain écrit des romans à succès.
→ Daniel Pennac est un écrivain ***qui*** écrit des romans à succès.

a. Jean-Paul Rappeneau est un cinéaste. Il a réalisé *Cyrano de Bergerac* et *Le Hussard sur le toit.*
→ . . . .

b. Juliette Binoche est une actrice. Cette actrice joue dans *Le Hussard sur le toit.*
→ . . . .

c. Christian Lacroix est un grand couturier. Il crée de très belles robes.
→ . . . .

d. Patricia Kaas est une chanteuse. Elle a chanté *Mon Mec à moi.*
→ . . . .

e. Marie-José Pérec est une athlète. Elle est championne du monde.
→ . . . .

f. Ariane Mnouchkine est un metteur en scène. Elle travaille au Théâtre du Soleil.
→ . . . .

g. Philippe Starck est un designer. Ce designer crée des meubles très modernes.
→ . . . .

h. Le commandant Cousteau est un écologiste. Il défend le monde marin.
→ . . . .

357 **Reliez les éléments pour en faire des phrases.**

a. Le Minitel est un objet
b. La télécopie est une invention
c. Le magnétoscope est une machine
d. Le caméscope est une caméra
e. Le répondeur est un objet
f. Les « Autoroutes de l'info » sont un moyen
g. L'ordinateur est une révolution
h. Le dictaphone est un outil

1. qui sert à dicter des messages et les enregistre.
2. qui traite l'information
3. qui s'utilise pour envoyer des messages écrits photocopiés.
4. qui permet de rentrer en contact avec tous les réseaux informatiques.
5. qui enregistre des émissions ou des films à la télé.
6. qui informe sur des services.
7. qui filme à l'aide d'une cassette vidéo.
8. qui enregistre les messages téléphoniques.

358 **Faites deux phrases.**

Exemple : La photo qui est en noir et blanc représente les mariés.
→ La photo est en noir et blanc. Elle représente les mariés.

a. Va chercher les cadeaux qui sont sous le sapin.

→ ....

b. Son mariage qui a lieu le 1er août sera traditionnel.

→ ....

c. Paul qui part à la retraite, fait un pot avec ses collègues.

→ ....

d. Mes enfants ont invité leurs copains qui étudient à la faculté.

→ ....

e. Ma fille qui a quinze ans, fait une boum à la maison.

→ ....

f. Le muguet du 1er mai est une fleur qui porte bonheur toute l'année.

→ ....

g. Nous fêtons le Jour de l'an avec des amis qui viennent de province.

→ ....

h. Les invités qui ne sont pas venus, ont présenté des excuses.

→ ....

359 **Continuez les phrases suivantes.**

Exemple : Tu regardes l'émission ***qui s'appelle La Marche du siècle ?***

a. C'est une station de radio qui ....
b. Je travaille avec une journaliste qui ....
c. Je déteste la chaîne de télévision qui ....
d. Vous avez vu le film qui ....?
e. Elle voudrait une radio qui ....
f. Connaissez-vous le présentateur qui ....?
g. Parles-tu du journal qui ....?
h. J'adore ce magazine qui ....

B. *Que*

360 **Rayer le pronom relatif inutile.**

Exemple : Le pull ~~que~~/qu' Élisabeth a acheté est trop petit.

a. La couleur ~~que~~/qu 'elle aime porter est le blanc.
b. Le chapeau que/~~qu'~~ tu as choisi ne te va pas.
c. Tu peux ouvrir le cadeau ~~que~~/qu' on t'a apporté.
d. La boutique ~~que~~/qu' il connaît a changé d'adresse.

e. La jupe que/qu' elle prend est en soldes.

f. La lingerie que/qu' vous tenez à la main est en soie.

g. Les vêtements que/qu' il a essayés lui vont bien.

h. Quelle est la taille que/qu' tu m'as donnée ?

361 **Faites une phrase en utilisant** *qu'* **ou** *que.*

Exemple : J'ai trouvé les photos. Tu les cherchais.

→ J'ai trouvé les photos ***que*** tu cherchais.

a. Anne écoute un disque. Elle l'aime énormément.

→ Anne écoute un disc qui aime énormément

b. Elle regarde des vidéos. Elle les emprunte à la médiathèque de l'école.

→ Elle regarde des vidéos qui emprunte

c. Mes amis ont beaucoup de livres. Ils me prêtent gentiment ces livres.

→ Mes amis ont beaucoup de livres qu'ils

d. Dominique, m'as-tu rendu ce CD ? Je t'ai demandé ce CD.

→ . . . .

e. Tu lis des magazines ? Patrick te prête ces magazines régulièrement.

→ . . . .

f. Il vient d'acheter une chaîne hi-fi. Il la voulait depuis longtemps.

→ . . . .

g. Mes parents m'ont offert un téléphone portable. Je ne l'utilise pas.

→ . . . .

h. Nous voulons voir le film. Tout le monde a déjà vu ce film.

→ . . . .

362 **Répondez en utilisant** *que.*

Exemple : Vous aimez beaucoup ces boucles d'oreilles ?

→ Ce sont des boucles d'oreilles ***que*** j'aime beaucoup.

a. Vous portez souvent cette cravate ? C'est une cravate que je porte souvent

b. Vous conseillez cette machine aux clients ? . . . .

c. Vous lisez ces livres policiers ? . . . .

d. Vous emportez ces bagages avec vous ? . . . .

e. Vous achetez ces gants en cuir ? . . . .

f. Vous avez choisi ce plat ? . . . .

g. Vous voyez Paul tous les jours ? . . . .

h. Vous buvez ce vin rouge ? . . . .

C. *Que/Qui*

363 **Complétez par** *qui, qu'* **ou** *que.*

Exemple : **On trouve dans Paris de nombreux restaurants *qui* servent une excellente cuisine provinciale.**

a. C'est une recette de cuisine ... est facile à faire et ... tous les gourmands connaissent.

b. La tarte aux fruits ... ma mère prépare et ... est délicieuse, ne ressemble à aucune autre.

c. Les grands restaurants de Paris, ... sont réputés et ... proposent des spécialités de leur chef, coûtent très cher.

d. Le *Jules Verne* est un restaurant ... se trouve au deuxième étage de la tour Eiffel et ... j'ai connu pour mon trentième anniversaire.

e. La cuisine normande, ... est à base de beurre et de crème, s'oppose à la cuisine provençale ... est à l'huile d'olive.

f. Tout le monde connaît les escargots de Bourgogne ... on mange avec une sauce ... est au beurre, à l'ail et au persil.

g. Le Bordelais, ... vous connaissez pour ses grands vins ... sont exportés dans le monde entier, possède de bons plats.

h. Les bistrots du Quartier latin, ... servent des petits menus ... on apprécie quand on a peu d'argent, sont très typiques.

364 **Complétez par** *que* **ou** *qui.*

Exemple : **La lettre *que* j'ai reçue vient d'Angleterre.**

a. Tu as vu les télex ... je dois envoyer ?

b. J'ai écrit la lettre ... vous m'aviez demandée.

c. Le fax ... était sur le bureau a disparu.

d. Les dossiers ... j'ai rangés sont complets.

e. Les papiers ... m'intéressent se trouvent chez le comptable.

f. Je n'ai pas lu le document ... vous concerne.

g. C'est le passeport ... tu viens chercher ?

h. Le chef du personnel ... est malade vous recevra la semaine prochaine.

365 **Associez les éléments suivants pour en faire des phrases.**

a. Les photos		1. sont dans le vase sont des roses.
b. Ce sont des gens		2. tu m'as vendue est en panne.
c. Les fleurs →	***qui***	3. lui parle s'appelle Patricia.
d. L'homme	***qu'***	4. ils ont eus ne se ressemblent pas.
e. Les enfants	***que***	5. nous avons prises sont floues.
f. La voiture		6. change beaucoup.
g. La blonde		7. critiquent toujours tout.
h. C'est une ville		8. j'aime est toujours de bonne humeur.

366 **Choisissez entre** *qui, qu'il* **ou** *qu'ils.*

Exemple : **Le film *qu'il* regarde est intéressant.**

a. Le médecin . . . . vient d'arriver est timide !
b. Le professeur . . . . . remplace est très malade.
c. Les histoires . . . . . racontent sont incroyables.
d. Le bus . . . . . prend au Châtelet est bondé.
e. Le film . . . . . parle de l'ex-Yougoslavie est difficile.
f. C'est ce type de femme . . . . . aiment beaucoup.
g. C'est ce genre de situation . . . . . nous dérange.
h. C'est exactement la chose . . . . . aime.

367 **Cochez la bonne case.**

Exemple : **La voiture ☐ *qui* ☒ *que* ☐ *qu'* tu viens d'acheter est française ?**

a. Cette jeune fille ☐ *qui* ☐ que ☐ qu' vient vers nous, est professeur de piano.
b. Le manteau ☐ *qui* ☐ *que* ☐ *qu'* nous avons vu, coûte 3 500 francs.
c. Le parfum ☐ *qui* ☐ *que* ☐ *qu'* il m'a offert, c'est Chanel n°19.
d. Cette bague ☐ *qui* ☐ *que* ☐ *qu'* est en vitrine, est en or.
e. Le TGV ☐ *qui* ☐ *que* ☐ *qu'* passe par Bordeaux, va jusqu'à Hendaye.
f. Le musée ☐ *qui* ☐ *que* ☐ *qu'* vous voulez visiter est fermé le mardi.
g. Les vacances ☐ *qui* ☐ *que* ☐ *qu'* on a passées en Sicile, étaient exceptionnelles.
h. Le boulanger ☐ *qui* ☐ *que* ☐ *qu'* se trouve au coin de la rue, est marseillais.

D. *Où*

368 **Associez les éléments pour en faire des phrases.**

a. Voici l'adresse
b. Le jour
c. La station de ski
d. La rue
e. L'hiver
f. Le magasin
g. L'année
h. Le garage

où

1. tu habites est très célèbre.
2. vous pourrez suivre des cours.
3. il a neigé, il faisait - 10 degrés.
4. tu es venu, j'étais à l'étranger.
5. Chirac a été élu est 1995.
6. nous allons skier se trouve à 1850 mètres.
7. il y a 20 % de réduction sur les voitures se trouve à 20 mètres de chez moi.
8. je fais mes courses ouvre à 14 heures.

369 Réécrivez ces phrases en utilisant *où*.

Exemple : C'est un article. Il y a des informations capitales dans cet article.
→ C'est un article ***où*** il y a des informations capitales.

a. C'est un hôtel ; l'accueil y est chaleureux.
→ C'est un hôtel où l'accueil est chaleureux

b. Vous allez en Italie ; vous avez de la famille en Italie.
→ vous allez en Italie qui vous avez de la famille.

c. C'est la clinique ; Marc y est né.
→ C'est la clinique où Marc est né

d. On court dans le bois ; mes enfants montent à cheval dans ce bois.
→ ....

e. Je travaille à Strasbourg ; il y a le parlement européen à Strasbourg.
→ ....

f. C'est le théâtre ; on y passe la grande pièce de la rentrée.
→ ....

g. Voici un musée ; vous devriez y passer un après-midi.
→ ....

h. Nous voyageons en Égypte ; nos amis habitent en Égypte.
→ ....

370 Reliez les phrases suivantes par *où*.

Exemple : Rappelle-moi la semaine. Tu arriveras cette semaine-là.
→ Rappelle-moi la semaine ***où*** tu arriveras.

a. Tu es venu me voir un jour. Je n'étais pas chez moi ce jour-là.
→ ....

b. 1789 est l'année. La Révolution française a eu lieu cette année-là.
→ ....

c. Juillet et août sont les mois. Les Français prennent leurs vacances ces mois-là.
→ ....

d. Vous êtes arrivé à Paris un dimanche. Il neigeait ce dimanche-là.
→ ....

e. Nous nous sommes rencontrés un hiver. Il faisait très doux cet hiver-là.
→ ....

f. 1981 est l'année. La peine de mort a été abolie cette année-là.
→ ....

g. Je t'ai présenté Franck un soir. Tu donnais une fête ce soir-là.
→ ....

h. 1995 est l'année. Xavier a obtenu son diplôme cette année-là.
→ ....

E. *Qui, que, où*

371 **Employez dans chaque phrase le pronom relatif qui convient.**

Exemple : Achète ce parfum ***qu'***il aime beaucoup.

a. C'est un pays . .qui . me plaît beaucoup.

b. Les touristes aiment Paris . . où. ils viennent très nombreux.

c. La tour Eiffel . qui . est un des monuments les plus visités, a plus de cent ans.

d. Montre-moi la ville . .où. . je dois aller.

e. Regardez les photos . .que. j'ai prises du château de Versailles.

* f. J'ai visité la capitale un jour . .où. il y avait une grève de transports.

g. Voici le bateau-mouche . .qu'. ils vont prendre.

h. Appelle-moi le taxi . que. je vois là-bas.

372 **Terminez les phrases suivantes.**

a. J'attends le bus qui . . . .
que . . . .
qu' . . . .
où . . . .

b. C'est un travail qui . . . .
que . . . .
qu' . . . .
où . . . .

c. Je lis un journal qui . . . .
que . . . .
qu' . . . .
où . . . .

d. C'est un enfant qui . . . .
que . . . .
qu' . . . .

e. Présente-moi la femme qui . . . .
que . . . .
qu' . . . .

373 Évitez les répétitions.

Exemple : Patricia travaille à Lyon. Lyon se trouve dans le Rhône. Patricia a de nombreux amis dans le Rhône.

→ Patricia travaille à Lyon qui se trouve dans le Rhône et où elle a de nombreux amis.

a. Mes voisins ont acheté un appartement. Mes voisins ont trouvé cet appartement au Croisic. Mes voisins passent leurs vacances au Croisic.

. . . .

. . . .

b. Roland-Garros est un tournoi de tennis. Le tournoi se déroule à Paris. On peut voir dans ce tournoi de grands joueurs. On admire ces grands joueurs.

. . . .

. . . .

c. Versailles est une ville. Cette ville est située à 14 km de Paris. Vous pourrez visiter dans cette ville son magnifique château. Vous serez ravi de quitter ce château pour vous promener dans les jardins.

. . . .

. . . .

d. Tours est une ville calme. Cette ville se trouve dans la vallée de la Loire. Vous dégusterez du bon vin dans cette ville.

. . . .

. . . .

Chansons. Complétez les titres suivants par *qui, que, où.*

Exemple : J'ai la mémoire ***qui*** flanche. *(Jeanne Moreau)*

a. Ceux . . . . . . n'ont rien. *(Patricia Kaas)*
b. La FM . . . . . . s'est spécialisée funky. *(Michel Jonasz)*
c. Heureux celui . . . . . . meurt d'aimer. *(Jean Ferrat)*
d. Cet enfant . . . . . . je t'avais fait. *(Jacques Higelin)*
e. Celui . . . . . . chante. *(Michel Berger)*
f. Le jour . . . . . . la pluie viendra. *(Gilbert Bécaud)*
g. Il n'y a que les filles . . . . . . m'intéressent. *(Dany Brillant)*
h. La poupée . . . . . . fait non. *(Michel Polnareff)*

Bilan

375 Complétez la lettre d'une mère dont l'enfant part en vacances à l'étranger.

Chère Madame,

Vous allez d'ici quelques jours accueillir mon petit Vincent . . . . prendra le train lundi prochain. S'il était possible que vous l'attendiez à Victoria-Station . . . . il arrivera à 18 h 07, j'en serais rassurée, car son anglais est très approximatif. Vincent . . . . vous reconnaîtrez à ses cheveux bruns, sa petite taille, son jean et son anorak rouge, portera à la main des " Astérix " . . . . il adore lire.

Mon fils est un gentil garçon . . . . , j'espère, ne vous dérangera pas trop. Mais je voulais quand même vous avertir d'un trait de son caractère . . . . n'est pas véritablement un défaut : Vincent est terriblement timide. C'est un enfant. . . . l'on doit comprendre et encourager.

J'ose vous dire tout ceci, à vous . . . . avez un fils de treize ans et . . . . connaissez peut-être les mêmes problèmes.

Avec toute ma confiance, je vous prie de croire, chère Madame, à l'assurance de mes sentiments amicaux.

XII. LES COMPARATIFS/LES SUPERLATIFS

Le mieux est l'ennemi du bien.

A. Les comparatifs

376 **Soulignez les comparatifs.**

Exemples : Cet hôtel est plus confortable que Le Napoléon.
Nous n'avons plus de chambre libre.

a. Elle ne voyage plus l'été car elle n'aime pas la chaleur.
b. Cette chambre est plus calme que l'autre.
c. La climatisation ne fonctionne plus depuis hier.
d. Mes bagages sont plus lourds que les tiens.
e. Il n'y a plus de réceptionniste ?
f. Le prix de la chambre double est plus cher.
g. L'ascenseur n'est plus en panne, vous pouvez l'utiliser.
h. La chambre 302 est plus spacieuse que la 301.

377 **Des frères qui ne se ressemblent pas beaucoup. Complétez par** *plus... que, moins... que, aussi... que.*

Exemple : Ils sont (-) ***moins*** agités ***qu'***avant.

a. Christophe est (+) . . . . . . âgé . . . . . . son frère Alain.
b. Alain est (-) . . . . . . indépendant . . . . . . son aîné.
c. Ils sont (=) . . . . . . têtus l'un . . . . . . l'autre.
d. Alain semble (-) . . . . . . souriant . . . . . . Christophe.
e. Les deux frères sont (=) . . . . . . blonds l'un . . . . . . l'autre.
f. Christophe paraît (+) . . . . . . affectueux . . . . . . Alain.
g. Ils ont l'air (=) . . . . . . vifs à l'école . . . . . . à la maison.
h. Christophe paraît (-) . . . . . . timide . . . . . . son petit frère.

378 **Comparez les mots indiqués en utilisant des adjectifs selon le modèle.**

Exemple : Brigitte Bardot/Isabelle Adjani (+)
→ ***Brigitte Bardot est plus âgée qu'Isabelle Adjani.***

a. La femme/l'homme (=) . . . .
b. Jacques Chirac/Gérard Depardieu (-) . . . .
c. Le Concorde/le TGV (+) . . . .

d. Le cinéma/la télévision (+) . . . .
e. Le champagne/le vin (=) . . . .
f. La machine à écrire/l'ordinateur (-) . . . .
g. Mexico/Le Caire (=) . . . .
h. L'opéra/le rock (-) . . . .

379 *Aussi* **ou** *autant.* **Rayez ce qui ne convient pas.**

Exemple : Je vais ~~aussi~~/autant au stade que mes amis.

a. Mon fils skie aussi/autant que ma fille.
b. Ma sœur nage aussi/autant que Cécile.
c. Pierre est aussi/autant rapide que François.
d. Son père est aussi/autant sportif que le professeur d'éducation physique.
e. Nous jouons aussi/autant au tennis qu'au squash.
f. Patrick monte à cheval aussi/autant que sa mère.
g. Les cours de danse sont aussi/autant chers que les cours de gymnastique.
h. Son entraîneur travaille aussi/autant que lui.

380 **Comparez-vous à Marc, Béatrice et Éric.**

Exemple : Je suis ***plus*** jeune que Marc, mais je suis ***moins*** grand que lui.

Marc : 29 ans, 1m82, 90 kilos. Assez beau, très intelligent et très sportif. Écoute du jazz, de l'opéra. Adore les livres policiers. Aimerait rencontrer jeune fille.

Béatrice : 20 ans, 1m60, 52 kilos, pas très jolie mais très drôle et gentille. Aime l'élégance, le cinéma et la poésie. Cherche un(e) ami(e) pour sorties.

Éric : 15 ans, 1m70, 65 kilos, pas particulièrement intelligent, amusant, sensible, curieux. Sait parler trois langues : anglais, espagnol, italien. Aime la fête, les voyages, les jeux de cartes. Désire correspondre avec quelqu'un.

. . . .
. . . .
. . . .
. . . .
. . . .

381 **Complétez par** *aussi* **ou** *autant.*

Exemple : Il boit toujours ***autant*** qu'avant?

a. Mais bien sûr : le TGV nord roule .aussi. . . vite que le TGV atlantique.
b. Ça n'a pas d'importance. J'aime .autant. le café que le thé.
c. À la maison, nous parlons .autant. le russe que l'italien.
d. Malgré notre enfant, nous sortons .autant. qu'avant.
e. Tu marches toujours .aussi. . . rapidement pour faire les courses ?
f. Malgré ses 80 ans, elle danse . .aussi. bien qu'autrefois.
g. Tu peux en prendre .autant. que tu voudras.
h. À l'étranger, je communique . aussi. . difficilement en anglais qu'en français.

382 *Autant, autant de.* **À vous de compléter.**

Exemple : Essaie de ne pas courir ***autant.***

a. Vous ne devriez pas manger . . . . sucre.
b. Il ne faudrait pas boire . . . .
c. Vous pourriez ne pas prendre . . . . médicaments.
d. Elle ne devrait pas faire . . . . sport.
e. Vous ne devriez pas fumer . . . .
f. Promettez-moi de ne pas travailler . . . .
g. Attention : ne prends pas . . . . chocolats.
h. Évite d'acheter . . . . viande.

383 *Aussi, autant, autant de.* **Utilisez ces trois comparatifs.**

Exemple : Nous parlons mal l'italien – Vous parlez ***aussi*** mal l'italien que nous ?

a. J'ai faim ! – Vous avez faim . . . . que ce midi ?
b. J'ai des amis ! – Tu as . . . . amis qu'au lycée ?
c. Nous avons pris des photos ! – Vous avez fait . . . . photos que votre frère ?
d. Claude pense à ses enfants ! – Il pense . . . . à ses enfants qu'à sa femme ?
e. Vous marchez lentement ! – Nous marchons . . . . lentement que vous.
f. Dominique est sympathique ! – Il est . . . . sympathique que sa compagne.
g. Mes grands-parents dansent le tango ! – Les miens dansent . . . . le tango que la valse.
h. Aline a de la chance ! – Elle a . . . . chance que sa famille?

384 **Complétez par :** *plus, plus de, moins, moins de, aussi, autant, autant de.*

Exemple : Il y a ***plus de*** chômage que dans les années 80.

a. (-) Depuis 1982, les Français travaillent . . . . qu'avant : 39 heures par semaine au lieu de 40.
b. (+) Les Français ont . . . . vacances qu'auparavant : cinq semaines de congés payés au lieu de quatre.
c. (+) On peut partir à la retraite . . . . tôt qu'autrefois : 60 ans au lieu de 65.
d. (=) Ils paient . . . . impôts qu'avant.
e. (=) Les salaires n'augmentent pas . . . . vite que les prix.
f. (+) Les cotisations sociales sont . . . . élevées qu'auparavant.
g. (-) Les Français ont . . . . pouvoir d'achat.
h. (=) Les Français se plaignent . . . . qu'autrefois de la situation économique.

385 **Complétez par :** *bon, bien, meilleur* **ou** *mieux.* **N'oubliez pas de les accorder si nécessaire.**

Exemple : Marie est ***bonne*** élève, mais sa sœur est ***meilleure*** qu'elle.

a. M. Deschamps est un . . . . professeur. Il explique . . . . la grammaire.
b. Je trouve que Mme Rollin enseigne . . . . les langues que la littérature.
c. J'ai eu une . . . . note en sciences qu'en physique.
d. Elle travaille . . . . cette année que l'an passé.
e. Mes enfants parlent . . . . anglais et ont un . . . . accent.
f. On mange . . . . à la cantine mais on déjeune . . . . chez soi.
g. C'est une . . . . école mais le collège Henri-Matisse est . . . .
h. Il a obtenu de . . . . résultats au bac que son frère.

386 *Meilleur* **ou** *mieux* **? Complétez les phrases suivantes.**

Exemple : Cette veste a une ***meilleure*** coupe.

a. Avec ces lunettes, vous voyez . . . .
b. Je vous conseille cette robe ; elle vous va . . . .
c. Ce pull est de . . . . qualité.
d. Tu as . . . . goût que Jeanne.
e. Je vous propose ce manteau, il est . . . . marché.
f. Il vaudrait . . . . réfléchir avant de l'acheter.
g. Cette cravate est . . . . assortie à votre costume.
h. Vous vous sentez . . . . dans ces chaussures?

387 *Bon/bien, meilleur/mieux.* **Complétez selon le modèle.**

Exemple : Le vin c'est ***bon,*** mais le champagne, c'est ***meilleur.***

a. Visiter Paris c'est . . . . . . , mais visiter la France, c'est . . . .
b. Les croissants c'est . . . . . . , mais les pains au chocolat, c'est . . . .
c. La cuisine à l'huile d'olive c'est . . . . . . , mais la cuisine au beurre c'est . . . .
d. Lire *Le Parisien* c'est . . . . . . , mais lire *Le Monde* c'est . . . .
e. Le camembert c'est . . . . . . , mais le fromage de chèvre c'est . . . .
f. Regarder un film en vidéo c'est . . . . . . , aller le voir au cinéma, c'est . . . .
g. Lire *Le Petit Prince* en traduction, c'est . . . . . . mais le lire en français c'est . . . .
h. Les vacances au camping, c'est . . . . . . , mais à l'hôtel c'est . . . .

388 **Remettez ces slogans publicitaires dans l'ordre.**

Exemple : difficile/simple/plus/de/faire → Difficile de faire plus simple.

a. des/forts/que/plus/moments/forts
→ . . . .
b. éclat/d'/moins/années/plus/d'
→ . . . .

c. beaucoup/loin/on/avec/va/plus/voitures/nos

→ . . . .

d. bébés/au/sec/plus/les/sont

→ . . . .

e. faudrait/plus/dépenser/être/il/pour/fou

→ . . . .

f. regard/visiblement/jeune/plus/votre

→ . . . .

g. meilleure/qui/faire/impression/peut ?

→ . . . .

h. quand/la/nourrie/mieux/est/peau/elle/épanouit/s'

→ . . . .

389 Faites des phrases comparatives sur l'Europe et la démocratie.

"Êtes-vous satisfait du fonctionnement de la démocratie dans votre pays ?"
(septembre 1993, en % d'avis favorables.)

Europe et démocratie

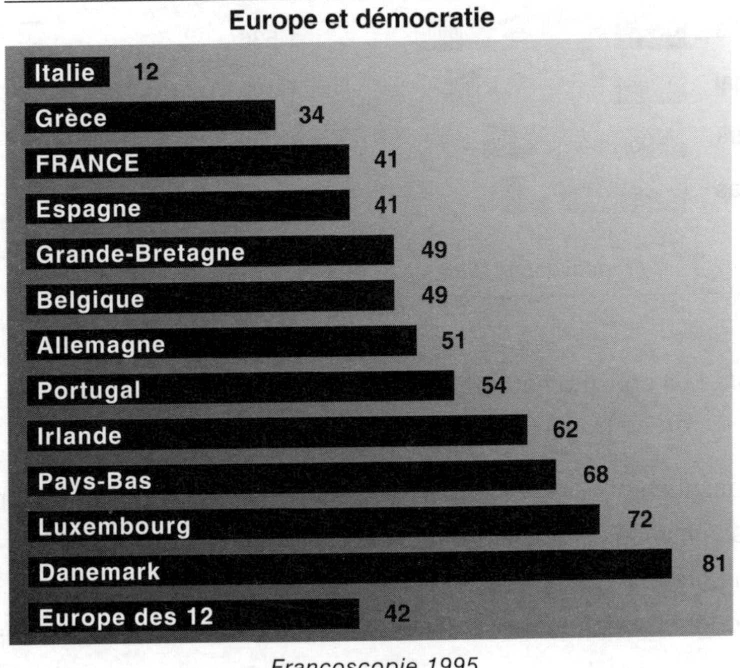

Francoscopie 1995

Exemple : Le Luxembourg est ***plus*** satisfait ***que*** la Belgique.

a. La France . . . . satisfaite . . . . Espagne.

b. L'Italie . . . . Grèce.

c. Les Pays-Bas . . . . Allemagne.

d. Le fonctionnement de la démocratie est . . . . au Danemark qu'en Italie.

e. La Grande-Bretagne . . . . Belgique.

f. Le Portugal . . . . Luxembourg.

g. Le Danemark . . . . Irlande.

h. La démocratie fonctionne . . . . au Danemark qu'en . . . .

390 **Comparez l'Europe du tabac puis le monde des études supérieures en vous aidant des deux tableaux ci-dessous.**

L'Europe du tabac

Consommation annuelle de cigarettes par habitant dans les pays de l'Union européenne (en 1991) :

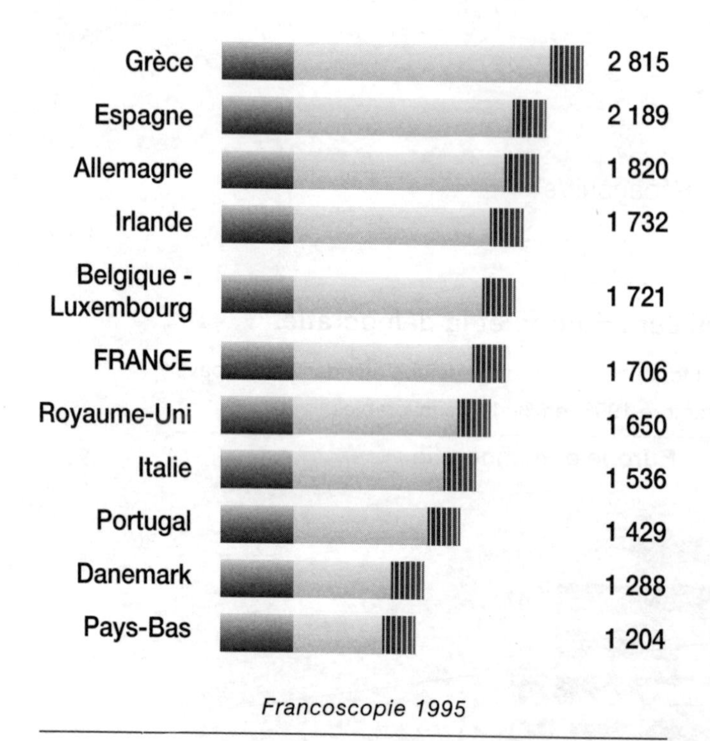

Francoscopie 1995

Le monde des études supérieures

Proportion d'étudiants dans quelques pays (en 1991, pour 1 000 habitants) :

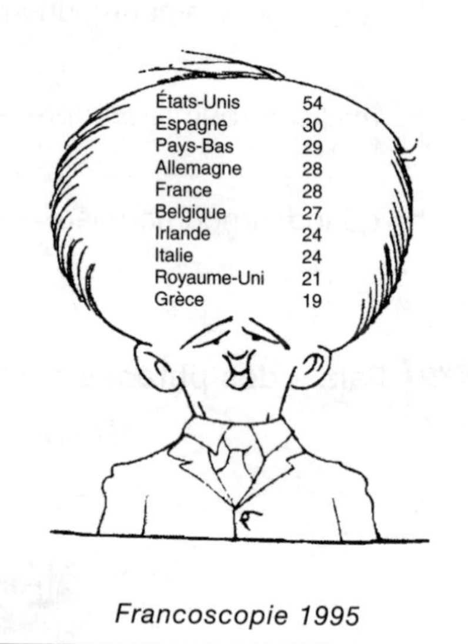

Francoscopie 1995

Exemple : La consommation de cigarettes est presque ***aussi*** faible aux Pays-Bas ***qu'***au Danemark.

a. Les Grecs fument . . . . / . . . . tous les autres Européens.
b. La consommation de cigarettes est . . . . importante aux Pays-Bas . . . . en France.
c. On fume presque . . . . . . en Belgique et au Luxembourg . . . . en Irlande.
d. Les Espagnols consomment . . . . / . . . . cigarettes . . . . les Allemands.
e. Il y a . . . . / . . . . étudiants au Royaume-Uni . . . . en France.
f. Les étudiants sont . . . . nombreux aux États-Unis . . . . en Espagne.
g. Il y a . . . . / . . . . étudiants en Irlande . . . . en Italie.
h. Les étudiants sont . . . . nombreux en Allemagne . . . . en France.

391 À l'aide du tableau "La vieille Europe", comparez et complétez.

La vieille Europe

Part des personnes de 65 ans et plus dans la population des pays de l'Union européenne (1991, en %) :

	Hommes	Femmes
• Belgique	6,0	9,1
• Danemark	6,4	9,2
• Espagne	5,6	8,1
• FRANCE	5,6	8,6
• Grèce	6,2	8,0
• Irlande	4,9	6,6
• Italie	5,9	8,8
• Luxembourg	5,0	8,5
• Pays-Bas	5,2	7,8
• Portugal	5,4	7,8
• Allemagne	5,0	9,9
• Royaume-Uni	6,3	9,4
• Union européenne	**5,6**	**8,9**

Francoscopie 1995

Exemple : En Allemagne, ***plus*** de femmes ***que*** d'hommes vivent au-delà de 65 ans.

a. Les Européennes vivent . . . . longtemps . . . . les Européens.

b. Les Espagnols vivent . . . . vieux . . . . les Français.

c. Mais les Espagnoles vivent un peu . . . . vieilles . . . . les Françaises.

d. Les femmes vivent . . . . longtemps aux Pays-Bas . . . . au Portugal.

e. Les personnes de 65 ans et plus sont . . . . nombreuses en Irlande . . . . dans les autres pays d'Europe.

f. Le pourcentage des femmes de plus de 65 ans est . . . . élevé au Royaume-Uni . . . . en France.

g. Les personnes de 65 ans et plus sont . . . . nombreuses au Royaume-Uni . . . . dans toute l'Europe.

h. Le pourcentage des hommes de plus de 65 ans est . . . . faible au Luxembourg . . . . en Allemagne.

B. Les superlatifs

392 **Soulignez les superlatifs de ces phrases.**

Exemples : L'espérance de vie des Françaises est plus longue (81,5 ans) que celle des Français (73,3 ans).
Les Français sont les plus gros consommateurs de médicaments du monde (2 000 francs par personne en 1993).

a. Les Français consomment moins de poisson que de viande (111 kg par personne et par an).
b. Les chefs d'entreprises sont les Français qui gagnent le mieux leur vie.
c. Les Français sont les Européens qui se marient les moins jeunes : 26,3 ans pour les femmes et 28,3 ans pour les hommes.
d. Un professeur est mieux payé qu'un ouvrier.
e. *Les Visiteurs* a réalisé le meilleur nombre d'entrées en 1993 : 12,5 millions de spectateurs.
f. Les Français mangent plus de beurre que les autres Européens (8,8 kg par personne et par an).
g. Les jeunes ont, en général, une meilleure santé que les personne âgées.
h. La France possède le plus grand nombre de fromages : plus de 400 appellations.

393 **La France des records. Complétez par les superlatifs** *le (la-les) plus, le (la) moins, le (la) meilleure.*

Exemple : La salle de cinéma ***la plus*** fréquentée du monde : La Géode (plus d'un million de visiteurs par an).

a. (+) Le parfum . . . . cher du monde : *Joy* de Patou (plus de 5 000 francs pour 30 ml).
b. (-) Le taux de nuptialité . . . . haut d'Europe : 4,4 mariages pour 1000 habitants.
c. (+) La personne vivante . . . . âgée du monde (121 ans en 1996).
d. (+) . . . . (bon) record mondial de vitesse en train : 515 km/h.
e. (-) La proportion de décès par maladies cardio-vasculaires . . . . élevée : 29 pour 1 000 000 habitants.
f. (+) . . . . grands voiliers du monde : Club Med 1 et Club Med 2.
g. (+) Paris, capitale où la qualité de vie est . . . . (bonne) du monde *(étude Healey and Baker 1991).*
h. (+) La France, ... grande destination touristique du monde : 60 millions de visiteurs en 1993.

394 **Faites des phrases en employant un superlatif.**

Exemple : Sport dangereux → Pour moi, la plongée sous-marine est le sport ***le plus*** dangereux.

a. Animal affectueux. → . . . .
b. Gros mensonge. → . . . .
c. Fruit cher. → . . . .
d. Bon moment dans la journée. → . . . .
e. Bonne cuisine. → . . . .
f. Belle ville. → . . . .
g. Film intéressant. → . . . .
h. Événement important. → . . . .

395 **Chansons. Rayez le superlatif ou le comparatif inutile.**

Exemple : La ~~mieux~~/plus bath des javas. *(Mouloudji)*

a. Ma plus/mieux belle histoire d'amour. *(Barbara)*
b. Je me sens moins/mieux quand je me sens mal. *(Eddy Mitchell)*
c. Le plus/mieux beau tango du monde. *(Tino Rossi)*
d. La meilleure/plus belle pour aller danser. *(Sylvie Vartan)*
e. Ça vaut meilleur/mieux que d'attraper la scarlatine. *(Les Parisiennes)*
f. Le plus de/plus difficile. *(Jacques Dutronc)*
g. Tu comprendras quand tu seras autant/plus jeune. *(France Gall)*
h. La aussi/plus belle des mers. *(Yves Montand)*

Bilan

396 **Complétez l'horoscope des lions par des comparatifs et des superlatifs.**

Cœur :
Vous serez toujours (=) . . . . heureuse en amour. Votre compagnon vous aime (=) . . . . qu'aux premiers jours. Néanmoins, quelques petites querelles apparaîtront ici et là. Mais elles seront (-) . . . . importantes que les moments d'euphorie. La période (-) . . . . bonne se situera entre le 20 et le 30 septembre.

Vie sociale :
Votre (+) . . . . (bonne) arme, c'est votre sourire. Votre gentillesse vaudra (+) . . . . qu'un long discours s'il faut signer un contrat ! C'est (+) . . . . (bon) moment de l'année pour faire des projets professionnels. (+) . . . . (bon) résultats seront obtenus par le deuxième décan et surtout le troisième.

Santé :
C'est le premier décan qui se portera (+) . . . . Le troisième décan devra prendre ses précautions : (-) . . . . surmenage, et il aura (=) . . . . tonus et de vitalité que les natifs du deuxième décan. Profitez des beaux jours pour vous refaire une santé. (+) . . . . repos, faites de la marche et alimentez-vous (+) . . . . que d'ordinaire en mangeant (+) . . . . fruits et . . . . légumes. Fumez (-) . . . . : vous aurez un teint (+) . . . . clair.

XIII. LES ADVERBES

Qui va doucement va sûrement.

A. Les adverbes en *-ment*

397 **Soulignez les adverbes.**

Exemple : arrangement – certainement – déménagement – bâtiment

a. régiment – licenciement – fortement – remerciement
b. autrement – paiement – armement – événement
c. commandement – versement – rarement – balancement
d. appartement – rajeunissement – amaigrissement – justement

398 **Pour chaque adverbe, retrouvez l'adjectif.**

Exemples : faiblement → ***faible*** vraiment → ***vrai***

a. poliment → . . . .
b. largement → . . . .
c. étroitement → . . . .
d. joliment → . . . .
e. richement → . . . .
f. salement → . . . .
g. calmement → . . . .
h. tristement → . . . .

399 **Construisez les adverbes à partir des adjectif donnés.**

Exemples : grand, grande → ***grandement*** vif, vive → ***vivement***

a. naïf → . . . .
b. mou → . . . .
c. sec → . . . .
d. long → . . . .
e. doux → . . . .
f. heureux → . . . .
g. courageux → . . . .
h. passif → . . . .

400 **Écrivez les adverbes correspondant aux adjectifs donnés.**

Exemples : prudent → ***prudemment*** méchant → ***méchamment***

a. puissant → . . . .
b. fréquent → . . . .
c. suffisant → . . . .
d. patient → . . . .
e. évident → . . . .
f. abondant → . . . .
g. courant → . . . .
h. brillant → . . . .

401 **En tenant compte du sens, complétez les phrases par un adverbe construit à partir des adjectifs suivants :** *simple, lent, propre, franc, complet, doux, tranquille, correct, méchant.*

Exemple : Constantin, tu es très sale ! Mange ta crème ***proprement*** !

a. Tu parles trop fort et les enfants dorment ; parle plus . . . .
b. Ne bouge pas tout le temps ! Regarde . . . . la télévision.
c. Maman, marche plus . . . . , je ne peux pas te suivre.
d. Parle-moi . . . . , tu peux me faire confiance.
e. Ces gens vivent . . . . , ils n'ont pas beaucoup d'argent.
f. Réfléchissez pour répondre . . . .
g. Il te reste encore une opération à faire ; ensuite, tes devoirs seront . . . . terminés.
h. J'ai peur de ce chien, il me regarde . . . .

B. Autres adverbes

Complétez les phrases suivantes par l'adjectif *bon* **ou l'adverbe** *bien.*

Exemples : Il a pris des cours et maintenant il skie ***bien.***
Monsieur Aubert est un ***bon*** professeur.

a. Pour mon anniversaire, ils m'ont apporté un . . . . . . gâteau.
b. Buvez de l'eau, c'est . . . . . . pour la santé.
c. Aujourd'hui, nous avons . . . . . . compris la leçon.
d. Regardez . . . . . . si vous n'avez rien oublié !
e. J'ai un . . . . . . disque de Bruel, tu le veux ?
f. Nous avons dîné dans un . . . . . . restaurant.
g. Pour comprendre, il faut . . . . . . écouter !
h. Ces étudiants ont fait un . . . . . . semestre.

403 **Réinsérez l'adverbe** *mieux* **ou l'adjectif** *meilleur* **dans les phrases suivantes.**

Exemple : L'an dernier, ses résultats étaient mauvais ; ils sont ***meilleurs*** cette année.

a. Avec ses nouvelles lunettes, elle voit . . . . . .
b. Michel et François sont les . . . . . . amis du monde.
c. Tu trouves que *Le Hussard sur le toit* est le . . . . . . film de Rappeneau ?
d. Depuis que sa grand-mère est rentrée à la maison, tout va . . . . . .
e. Les programmes pour les enfants sont les . . . . . . sur France 3.
f. Tu veux aller voir *Les 400 coups* ? Moi, j'aimerais . . . . . . aller voir *L'Homme qui aimait les femmes.*
g. Cette étudiante progresse vite ; elle parle . . . . . . que les autres.
h. Le . . . . . . moment de la journée, c'est après le déjeuner, au moment du café.

404 **Complétez les phrases suivantes par :** *bien, bon (ne [s]), meilleur (e [s])* **ou** *mieux.*

Exemple : **Grand-père entend beaucoup *mieux* depuis qu'il a un appareil.**

a. On dit que Saint-Louis était un . . . . roi.
b. *Monsieur Malaussène,* ce n'est pas le . . . . roman de Pennac !
c. Il conduit de . . . . en . . . .
d. Prenez ma voiture, elle marche très . . . .
e. Isabelle Huppert est une . . . . actrice.
f. Tu veux lire *Mort à l'appel* ? C'est un . . . . livre.
g. On a gagné, on est les . . . . !
h. Notre professeur explique . . . . que Mme Ledoux.

405 **Complétez les phrases suivantes par** *très* **ou** *beaucoup.*

Exemple : **Sophie est *très* intéressée par la philosophie.**

a. Elle habite dans une . . . . belle maison à la sortie du village.
b. Jean conduit . . . . vite ; un jour, il aura un accident !
c. Tu lis . . . . , je crois : en moyenne deux livres par semaine.
d. Il parle . . . . ; je le trouve fatigant.
e. Tu n'as pas l'air de . . . . t'amuser ; tu veux partir ?
f. On a vu un . . . . bon film le semaine dernière : *La Haine.*
g. Pensez-vous que les enfants ont . . . . trop de vacances l'été ?
h. Il y a . . . . longtemps, un dragon vivait en Chine...

406 *Très* **ou** *trop* **? Rayez ce qui ne convient pas.**

Exemple : **Christine a dormi (~~*très*~~ – *trop*) longtemps ; elle est arrivée en retard ce matin.**

a. Ce livre est (très – trop) bien ; je te le recommande.
b. Comme il est (très – trop) malade, il a un arrêt de travail pour plusieurs mois.
c. Ma mère n'aime pas prendre le métro ; elle est (très – trop) bousculée.
d. On a (très – trop) envie de s'amuser ce week-end.
e. Cette robe est vraiment (très – trop) chère, je ne la prends pas !
f. Paul est (très – trop) content de son nouveau bureau.
g. Pourquoi veux-tu déménager ? On est (très – trop) bien ici !
h. Ils avaient (très – trop) bu ; ils sont rentrés chez eux en taxi.

407 **Placez correctement les adverbes dans les phrases suivantes.**

Exemples : (facilement) Il a répondu à ma question → Il a répondu ***facilement*** à ma question.
(peu) Nous avons dormi cette nuit → Nous avons ***peu*** dormi cette nuit.

a. (tard) Sophie n'est pas rentrée à la maison ? . . . .
b. (relativement) On s'entend bien. . . . .
c. (rarement) Elles se voient le samedi. . . . .
d. (bien) Nous avons réfléchi toute la semaine dernière à votre proposition. . . . .

e. (longuement) Elle a parlé avec sa mère. . . . .
f. (déjà) Il est très rapide ; il a tout fini. . . . .
g. (souvent) On a pensé à toi pendant ce voyage. . . . .
h. (assez) C'est facile pour aller à Versailles. . . . .

408 Reliez les éléments suivants pour établir des oppositions.

Exemple : Il a ***beaucoup*** travaillé mais ***peu*** profité.

a. Nous partons souvent à la mer
b. Il y a des fleurs partout
c. Il a bien préparé son texte
d. Ils habitent ici
e. Mes amis ont trop de travail
f. On les invite parfois
g. Elle veut encore voyager
h. Il a tout lu

1. mais il ne veut plus
2. mais ils acceptent rarement de venir.
3. mais travaillent ailleurs.
4. mais mal répondu aux questions.
5. mais il n'en voit nulle part.
6. mais jamais à la montagne.
7. mais rien compris.
8. et pas assez de temps libre.

409 Remettez les phrases dans l'ordre.

Exemple : encore – elle – n' – fini – a – pas → Elle n'a pas encore fini.

a. bientôt – Paris – à – nous – viendrons – très → . . . .
b. souvent – lui – téléphone – on – assez → . . . .
c. clairement – répondu – ils – pas – pourquoi – n' – ont – plus ?
→ . . . .
d. trop – mangé – il – beaucoup – a → . . . .
e. assez – compris – j' – bien – ai → . . . .
f. bien – désagréable – il – trop – est → . . . .
g. jamais – viennent – presque – ils – ne → . . . .
h. mal – écrit – vraiment – elle → . . . .

410 Répondez par le contraire en utilisant : *dehors, là-bas, beaucoup, rarement, ne... jamais, encore, par-dessous, quelque part.*

Exemple : Vous levez-vous tôt le dimanche ? → Non, on se lève ***tard.***

a. Ton ami habite ici ? → Non, ...
b. Vous venez toujours dans ce café ? → Non, ...
c. Ils prennent fréquemment l'avion ? → Non, ...
d. On nous attend dedans ? → Non, ...
e. Vous ne fumez plus ? → Si, ...
f. Tu conduis lentement ? → Non, ...
g. Vous n'allez nulle part ce week-end ? → Si, ... en Normandie.
h. Ta mère dort peu ? → Non, ...

Bilan

411 **Complétez ce dialogue par des adverbes formés à partir des adjectifs donnés et barrez ce qui ne convient pas.**

– Je ne comprends (vrai) .... pas ; Marie n'est pas venue à notre rendez-vous !
– Tu lui as (clair) .... expliqué le lieu de rendez-vous ?
– (Évident) ...., je lui ai même indiqué le nom du café et je lui ai (bon – bien) dit en face de la station Blanche.
– Alors, tu n'as peut-être pas fixé (précis) .... l'heure du rendez-vous ?
– (Franc) ...., tu me prends pour une idiote ! Je sais (mieux – meilleur) donner un rendez-vous que toi !
– Réfléchissons (calme) .... As-tu attendu (très – trop – beaucoup) longtemps ?
– J'ai (bon – bien) attendu plus d'une heure. Je suis (terrible) .... inquiète. (Habituel) .... Marie est (rarement – toujours) à l'heure.
– Téléphone (immédiat) .... chez elle ; tu comprendras (meilleur – mieux – bon).
– Tu as raison !
– Allô, Marie, Mais je t'ai attendue (exact) .... une heure au café Blanche. Que s'est-il passé ?
– Oh, Valérie, je suis (sincère) .... désolée. Voilà, quand je suis sortie de chez moi, ...

Continuez le récit de Marie en employant plusieurs adverbes.

XIV. SITUER DANS LE TEMPS

Mieux vaut tard que jamais.

A. Les indicateurs temporels

412 **Complétez les phrases suivantes par** *dans* **ou** *pendant.*

Exemples : Dans une semaine, ce sera Noël.

Pendant les fêtes, nous partirons chez nos parents.

a. Il y a beaucoup de touristes à Paris . . . . l'été.
b. . . . . quelques jours, ils fêteront leur anniversaire de mariage.
c. – Quand voyagerez-vous au Proche-Orient ? – . . . . trois mois.
d. – Combien de temps resterez-vous à Rome ? – Nous resterons à Rome . . . . une semaine.
e. Madame Dufour est libre demain ? – Elle a un rendez-vous important . . . . la matinée.
f. . . . . deux heures, il a fait le ménage.
g. Elles ont étudié l'archéologie . . . . toute leur vie.
h. . . . . les mois en " r ", il ne faut pas manger d'huîtres.

413 **Complétez les phrases suivantes par** *en* **ou** *pendant.*

Exemples : En automne, on peut trouver des champignons.

La chasse est ouverte ***pendant*** l'automne et l'hiver.

a. En France, on coupe le blé . . . . été.
b. . . . . juillet et . . . . août, les Français prennent des congés.
c. . . . . les vendanges, les viticulteurs travaillent beaucoup.
d. La pêche ouvre . . . . avril.
e. Les Français pratiquent le ski . . . . l'hiver.
f. . . . . l'année scolaire, les enfants ont de petites vacances toutes les six semaines.
g. . . . . les longs week-ends de printemps, les Français quittent les villes.
h. Il y a de nombreux jours fériés . . . . mai.

414 **Rayez ce qui ne convient pas.**

Exemple : Il a écrit son mémoire de maîtrise (en – ~~dans~~) trois mois.

a. Nos vacances finiront (en – dans) une semaine.
b. Jules Verne a écrit *Le Tour du monde (en – dans) 80 jours.*
c. Paris-Nice est un long trajet alors nous le ferons (en – dans) deux jours.
d. Elle a appris à conduire (en – dans) trois mois.

e. Je reprends mon travail (en – dans) quatre jours.
f. (En – Dans) un an, Jenny retournera aux États-Unis.
g. Il travaille très vite ; il fera cet exercice (en – dans) cinq minutes.
h. Nicolas court 100 mètres (en – dans) 15 secondes.

415 Complétez par *pendant* ou *depuis.*

Exemples : Il a fait de gros progrès en anglais ***depuis*** l'an dernier.
Pendant les vacances de février, ils iront dans les Hautes-Alpes.

a. Madeleine vit à Toulon . . . . six ans.
b. Il a étudié sa leçon de sciences . . . . deux heures.
c. Nous serons en stage . . . . la semaine du 18 au 22 avril.
d. Les universitaires sont en vacances . . . . quatre mois par an.
e. Son père travaille chez Renault . . . . seize ans.
f. . . . . le week-end, Thomas joue avec ses copains.
g. Elle est en congé de maternité . . . . le 3 septembre.
h. . . . . 18 semaines, elle pourra s'occuper de son bébé.

416 Associez les éléments pour en faire des phrases (plusieurs possibilités).

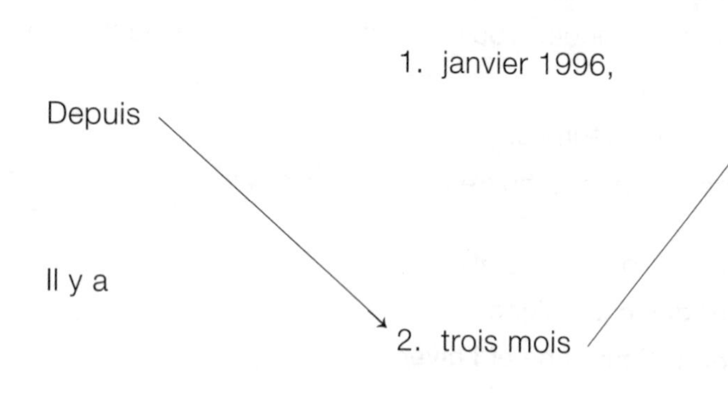

a. tu suis des cours de français.
b. Anne vit à Paris.
c. elle a terminé ses études.
d. Joseph a réussi son examen de psychologie.
e. ils se sont séparés.
f. j'habite chez une copine.
g. nous sommes inscrites à l'université.
h. tu es titulaire d'une licence en économie.

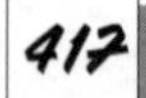

417 Faites des phrases sur le modèle donné.

Exemples : Elle est partie en Espagne. (6 mois) → ***Il y a*** 6 mois, elle est partie en Espagne.
Elle vit en Espagne. (6 mois) → ***Il y a*** 6 mois ***qu'***elle vit en Espagne.

a. Antoine joue du piano. (5 ans) → . . . .
b. Aurélie a écrit son premier poème. (4 ans) → . . . .
c. Jérémy chante. (2 ans) → . . . .
d. Émilie danse. (1 an) → . . . .
e. Léopoldine a commencé la sculpture. (2 ans) → . . . .
f. Léon joue au tennis. (18 mois) → . . . .
g. Martin a arrêté le dessin. (3 semaines) → . . . .
h. Sébastien a joué son premier morceau de flûte. (10 ans) → . . . .

418 **Complétez les phrases suivantes par** *depuis que, ça fait... que* **ou** *il y a... que.*

Exemples : ***Depuis qu'****il a quitté la maison, il a beaucoup changé.*

Il y a/Ça fait trois ans ***qu'***on court tous les dimanches.

a. . . . . quelques années . . . . il a terminé les Beaux-Arts.

b. . . . . elle travaille à Strasbourg, ... on se voit moins souvent.

c. . . . . Arthur va à l'école, ... il est beaucoup plus sage.

d. . . . . deux semaines . . . . nous ne sommes pas allés au cinéma.

e. . . . . c'est l'hiver, ... ils ne vont plus à la campagne le dimanche.

f. . . . . 25 ans . . . . elle passe toutes ses vacances au même endroit.

g. . . . . deux semaines . . . . je suis sans nouvelles de ma sœur.

h. . . . . on a déménagé, ... notre vie est beaucoup plus agréable.

419 **Cochez la bonne formule.**

Exemple : L'avion fait Paris-Nice . . . 1 h 15. → **1.** ☐ *dans* **2.** ☐ *pendant* **3.** ☒ *en*

a. . . . 5 minutes, j'ai croisé Mme Lejeune à la boucherie.

1. ☐ *Pendant* **2.** ☐ *Il y a* **3.** ☐ *Depuis*

b. Étienne a changé de style . . . il habite à Cannes.

1. ☐ *ça fait... que* **2.** ☐ *depuis* **3.** ☐ *depuis qu'*

c. L'usage du dictionnaire est interdit . . . les examens.

1. ☐ *pendant* **2.** ☐ *dans* **3.** ☐ *depuis*

d. . . . le début du mois, il pleut sans arrêt.

1. ☐ *Pendant* **2.** ☐ *Il y a* **3.** ☐ *Depuis*

e. Mme Guillot part en retraite . . . 5 mois.

1. ☐ *en* **2.** ☐ *pendant* **3.** ☐ *dans*

f. Philippe Djian a écrit son dernier roman . . . quelques mois.

1. ☐ *pendant* **2.** ☐ *en* **3.** ☐ *depuis*

g. . . . 3 mois . . . ils ont déménagé.

1. ☐ *Pendant... que* **2.** ☐ *Depuis... que* **3.** ☐ *Il y a... que*

h. Je ne l'ai pas revue . . . l'âge de 15 ans.

1. ☐ *pendant* **2.** ☐ *il y a* **3.** ☐ *depuis*

420 **Complétez les phrases suivantes en utilisant :** *bientôt, aujourd'hui, tout à l'heure, maintenant, tout de suite, cet après-midi, hier* **(parfois plusieurs possibilités).**

Exemple : Il est midi, je vais déjeuner. À ***tout à l'heure !***

a. – Quand se reverra-t-on ? – . . . . , j'espère ; peut-être la semaine prochaine.
b. – Quelle heure est-il . . . . ? – Il est exactement 10 h 30.
c. – À quelle heure partez-vous ? – . . . . , je suis en retard et je n'ai pas envie de rater mon train !
d. – Que fait-elle aujourd'hui ? – . . . . elle a cours de 9 heures à midi et . . . . , elle est libre.
e. – Tu connais la date d' . . . . ? – Oui, on est le 12 novembre.
f. – Où sont-ils allés . . . . soir ? – Ils sont allés au théâtre voir *Huis clos.*
g. – Vous déjeunez avec nous . . . . ? – Désolée, je suis prise mais pourquoi pas demain?
h. . . . . , en sortant du bureau, j'irai chez le coiffeur.

421 **Complétez les phrases suivantes par :** *jour, journée, an, année, matin, matinée, soir* **ou** *soirée* **(parfois plusieurs possibilités).**

Exemple : Hier, nous avons passé une agréable ***soirée*** chez des amis.

a. Demain . . . . . . , je dois porter la voiture au garage.
b. Dans les . . . . . . 70, la morale était beaucoup plus souple qu'aujourd'hui.
c. Dimanche dernier, c'était une belle . . . . . . ; il a fait très chaud et on s'est baigné.
d. Il y a trois . . . . . . , Jean-Marc a changé d'emploi : il est directeur de la publicité.
e. Vous pouvez me joindre chez moi, dans la . . . . . . , entre 9 heures et midi.
f. L' . . . . . . dernier, la famille Vallet a voyagé en Israël.
g. Ce . . . . . . , je vais me coucher de bonne heure car j'ai eu une . . . . . . difficile.
h. Carole entre en première . . . . . . de droit.

422 **Associez les éléments qui vont ensemble (plusieurs possibilités).**

a. Nous ne connaissons pas encore l'Opéra Bastille.
b. Nous assistons à quelques pièces de théâtre dans l'année.
c. Nous allons 2 ou 3 fois par an au concert. → 2
d. Nous allons au moins 2 fois par mois au restaurant.
e. Nous sommes allés 2 fois au musée en 10 ans.
f. Nous allons 5 ou 6 fois par an visiter des expositions.
g. Nous allons une fois par an au stade.
h. Nous allons plusieurs fois par mois à la bibliothèque.

1. Nous y allons occasionnellement.
2. Nous y allons rarement.
3. Nous y allons très rarement.
4. Nous y allons souvent.
5. Nous y allons de temps en temps.
6. Nous y allons quelquefois.
7. Nous n'y allons jamais.
8. Nous y allons régulièrement.

B. LE TEMPS DES VERBES

423 **Indiquez si l'action est présente (PR), future (F), ou passée (PA).**

Exemple : Nous prenons l'avion dans 5 minutes? **(F)**

a. Elle prend des céréales le matin. ( )
b. J'arrive à l'instant. ( )
c. Il joue du piano depuis 6 mois. ( )
d. Vous allez faire du sport la semaine prochaine ? ( )
e. Tu as des projets pour ce soir ? ( )
f. Ils vont à l'église tous les dimanches. ( )
g. Avant-hier, on a vu un film étrange : *La Cérémonie.* ( )
h. Tu fumes toujours ? ( )

424 **Cochez la forme verbale qui convient (parfois plusieurs possibilités).**

Exemple : Tous les matins, il **1.**☐ *s'est levé* **2.**☐ *se lèvera* **3.**☒ *se lève* à 7 heures depuis un an.

a. Dans quelques mois, le bébé de Sandrine **1.**☐ *est né* **2.**☐ *naîtra* **3.**☐ *naît.*
b. Paul **1.**☐ *vit* **2.**☐ *a vécu* **3.**☐ *vivra* en province depuis plusieurs années.
c. Il y a combien de temps que tu **1.**☐ *changeras* **2.**☐ *as changé* **3.**☐ *changes* de numéro de téléphone?
d. Dans quelques années, on **1.**☐ *a eu* **2.**☐ *aura* **3.**☐ *a* tous des lecteurs de CD-Rom.
e. On **1.**☐ *a demandé* **2.**☐ *demandera* **3.**☐ *demande* l'addition maintenant ?
f. Ce candidat **1.**☐ *a répondu* **2.**☐ *répond* **3.**☐ *répondra* en 10 secondes. C'est le gagnant !
g. Depuis quand **1.**☐ *avez-vous fait* **2.**☐ *ferez-vous* **3.**☐ *faites-vous* de la gymnastique ?
h. L'automne **1.**☐ *a commencé* **2.**☐ *commence* **3.**☐ *commencera* dans quelques jours.

425 **Complétez les phrases suivantes par le verbe entre parenthèses au passé composé, au passé récent, au présent, au futur simple ou au futur proche.**

Exemple : J'***ai rencontré*** la concierge hier matin dans l'escalier. (rencontrer)

a. Ta mère . . . . il y a quelques secondes. (téléphoner)
b. Le musée d'Orsay . . . . fermé tous les lundis. (être)
c. On . . . . visiter l'exposition Cézanne jeudi prochain en nocturne. (pouvoir)
d. Depuis l'année dernière, le prix des loyers . . . . de 5 %. (augmenter)
e. . . . . -vous vos études l'année prochaine? (continuer)
f. Les dernières vacances, nous les . . . . à Paris. (passer)
g. Il . . . . un livre en une après-midi. (lire)
h. Le ciel est très bas ; je pense qu'il . . . . (neiger)

426 **Complétez ces questions par le verbe entre parenthèses au temps qui convient.**

Exemple : En combien de temps ***as-tu préparé*** ce superbe gâteau? (préparer)

a. Depuis quand . . . . -il ? (conduire)
b. Vous . . . . ce questionnaire hier soir ? (remplir)
c. Dans combien de semaines . . . . -vous en Angleterre ? (aller)
d. Il y a combien de temps qu'on . . . . ? (se connaître)
e. En combien de temps ils . . . . le tour de la Corse l'été dernier ? (faire)
f. Quand . . . . -elle rentrer ? (penser)
g. Pendant combien de temps . . . . -vous . . . . l'italien ? (étudier)
h. Ça fait longtemps que tu . . . . des lunettes ? (porter)

427 **Imaginez librement des questions correspondant aux réponses données.**

Exemple : Ça fait longtemps que ton ami est ingénieur? ← Ça fait trois ans.

a. . . . . ← Caen-Paris ? En 2 h par l'autoroute.
b. . . . . ← Demain, dans la soirée.
c. . . . . ← Il y a 5 jours.
d. . . . . ← Depuis lundi dernier.
e. . . . . ← Ça fait longtemps.
f. . . . . ← Pendant le week-end.
g. . . . . ← Dans une semaine.
h. . . . . ← Le 22 mars prochain.

Bilan

428 **Complétez ce dialogue par :** *en, il y a... que, ça fait, dans, jamais, depuis, pendant, bientôt.*

– *Bonjour monsieur. J'ai envoyé un paquet en Espagne . . . . quatre mois et mon amie ne l'a . . . . reçu. Pouvez-vous me donner une explication?*
– *Écoutez madame, habituellement un colis pour l'Espagne arrive . . . . 10 jours maximum. . . . . longtemps . . . . vous l'avez posté?*
– *Je l'ai envoyé . . . . avril dernier, ... les vacances de printemps.*
– *Alors, je comprends peut-être mieux. . . . . le mois d'avril, des grèves de transports ont perturbé le travail des postiers. Ça explique éventuellement le retard de votre paquet.*
– *Alors, qu'est-ce que je dois faire?*
– *Attendez encore . . . . quelques jours. Si . . . . une semaine votre amie n'a rien reçu, revenez me voir : nous ferons une réclamation.*
– *Bon, j'attends encore mais c'est bien ennuyeux ! Vous me reverrez . . . . Au revoir monsieur.*
– *Désolé. Au revoir madame.*

XV. LA QUANTITÉ

Il y a deux sortes de trop : le trop et le trop peu.

A. Les nombres

429 **Écrivez les chiffres en lettres.**

Exemple : Le métro parisien a été mis en service en (1900) ***mille neuf cents.***

a. Il est long de (198) . . . . kilomètres.
b. Il a (15) . . . . lignes.
c. Il dessert (366) . . . . stations.
d. Un ticket de métro coûte (7,50) . . . . francs . . . .
e. La ligne 4 qui est la plus chargée, a transporté (127,4) . . . . virgule . . . . millions de voyageurs en (1991) . . . .
f. (9433) . . . . agents dont (2700) . . . . contrôleurs travaillent dans le métro.
g. Il y a environ (450 000) . . . . voyages impayés par jour.
h. Les amendes dans le métro coûtent entre (100) . . . . et (400) . . . . francs.

430 **Complétez par un chiffre écrit en toutes lettres.**

Exemple : (78) % ***Soixante-dix-huit pour cent*** des ménages ont une voiture en (1994) ***mille neuf cent quatre-vingt-quatorze.***

a. Ils n'étaient que (30) % . . . . en (1960) . . . .
b. (58) % . . . . des couples possédaient un véhicule en (1970) . . . .
c. (27) % . . . . ont moins de deux voitures.
d. Les Français ont parcouru en moyenne (14 000) . . . . kilomètres en (1993) . . . .
e. Il y a (24 000 000) . . . . de voitures en France.
f. Les ménages ont dépensé (24 000) . . . . francs en moyenne pour les transports, soit (16) % . . . . de leur budget en 1993.
g. Les ménages motorisés ont dépensé (31 000) . . . . francs pour les transports.
h. L'âge moyen des voitures en circulation est de (6,4) . . . . virgule . . . . ans.

B. INTERROGATION AVEC *COMBIEN*

431 **Associez les questions aux réponses.**

a. Combien de chaînes de télévision regardes-tu ?
b. Combien d'enfants avez-vous ?
c. Il fait combien, ce sac ?
d. Combien de kilos as-tu perdus ?
e. Vous fumez combien de cigarettes ?
f. Elles coûtent combien, tes lunettes ?
g. Combien de cachets prenez-vous chaque jour ?
h. Il faut combien de temps pour aller chez toi ?

1. J'en prends quatre. Deux pour mon cœur et deux pour mon estomac.
2. Nous avons trois filles et deux garçons.
3. Pas plus de quinze minutes.
4. Elles ne sont pas chères : trois cents francs.
5. J'en regarde trois : France 2, France 3 et Arte.
6. Il est en promotion : quatre cent cinquante francs.
7. Malheureusement une vingtaine.
8. J'ai maigri de deux kilos en un mois.

432 **Interrogez sur la quantité en imaginant les questions.**

Exemple : Combien de temps vivent en moyenne les Français ?
← 73,3 ans pour les hommes et 81,5 ans pour les femmes.

a. .... ?
Une femme sur deux travaille (75 % entre 25 et 49 ans).
b. .... ?
1,60 m et 60 kg en moyenne pour les femmes contre 1,72 m et 75 kg pour les hommes.
c. .... ?
16 femmes sénateurs sur 320.
d. .... ?
77 % d'hommes et 39 % de femmes lisent un quotidien tous les jours.
e. .... ?
Les trois quarts des Français et la moitié des Françaises pratiquent un sport.
f. .... ?
13,3 % des femmes actives étaient au chômage en mars 1993 contre 9,4 % des hommes.
g. .... ?
Les femmes gagnent en moyenne 30 % de moins que les hommes.
h. .... ?
La Française active dispose de 2 heures 51 mn de temps libre par jour.

C. Quelques quantitatifs

433 **Complétez la recette des grenouilles sautées.**

Exemple : Servez avec une bouteille ***de*** vin blanc.

Pour six personnes, il faut (a) quatre douzaines . . . . cuisses de grenouilles, (b) un demi-litre . . . . lait, (c) 200 g . . . . beurre, (d) quatre cuillerées à soupe . . . . huile, (e) trois cuillerées à soupe . . . . persil haché, (f) une gousse. . . . . ail, (g) un peu . . . . sel et (h) beaucoup . . . . poivre.

434 *Quelques, un peu de.* **Rayez ce qui ne convient pas.**

Exemple : Il y a un peu de/~~quelques~~ sable dans ma chaussure.

a. J'ai un peu de/quelques problèmes avec mon chauffage.
b. Il y a encore un peu de/quelques neige en mai.
c. Il me reste quelques/un peu de jours de vacances.
d. Il y a quelques/un peu de touristes en automne.
e. Au bord de la mer, nous mangeons un peu de/quelques poisson.
f. Il y a toujours quelques/un peu de vent sur le bord de mer.
g. J'économise un peu d'/quelques argent pour mes vacances.
h. Quelques/un peu de Français ne partent jamais en vacances.

435 *Beaucoup, beaucoup de, très.* **Complétez.**

Exemple : Vous devez avoir ***très*** soif.

a. J'ai . . . . chance.
b. Elle a . . . . temps.
c. Elles ont . . . . faim.
d. Paul a . . . . enfants.
e. Mes parents voyagent . . . .
f. Vous avez . . . . mal à la tête ?
g. Les voisins ont . . . . vacances.
h. Charles aime . . . . les animaux.

436 **Répondez aux questions en utilisant :** *trop (de), beaucoup (de), assez (de), peu (de), pas du tout* **(parfois plusieurs possibilités).**

Exemple : Vous buvez du café ? → Oui, ***je bois beaucoup de café.***
→ Non, ***je bois peu de café.***

a. Vous aimez les pizzas ? → Non, ...
b. Faites-vous du sport ? → Oui, ...
c. Vous avez beaucoup de temps libre ? → Non, ...
d. Vous étudiez ? → Non, ...
e. Vous mangez des gâteaux ? → Oui, ...
f. Vous téléphonez beaucoup ? → Oui, ...
g. Achetez-vous du chocolat ? → Oui, ...
h. Avez-vous de la mémoire ? → Non, ...

437 *Différent (e) s, certain (e) s, plusieurs, quelques.* **Complétez.**

Exemple : J'ai fait ***quelques*** achats samedi.

a. Dans cette boutique, il y a . . . . genres de robes que tu aimerais.
b. . . . . jupes sont chères mais elles sont en général abordables.
c. J'ai acheté . . . . fleurs chez ce fleuriste.
d. Nous sommes allés . . . . fois dans ce magasin.
e. À la Samaritaine, j'ai hésité entre . . . . modèles de manteaux.
f. Aux Galeries Lafayette, il y a . . . . étages pour l'habillement.
g. . . . . magasins sont ouverts le dimanche.
h. Je vais faire . . . . courses dans le quartier.

438 **Choisissez entre :** *quelques, quelques-uns, quelques-unes.*

Exemple : Nous avons ***quelques*** voisines sympathiques mais ***quelques-unes*** sont distantes.

a. J'ai . . . . brochures à vous proposer ; . . . . datent de l'été dernier.
b. Mes frères ont . . . . disques laser de Georges Brassens ; . . . . sont d'anciens 33 tours.
c. La police a . . . . informations sur sa vie. Mais . . . . restent à vérifier.
d. Mon voisin possède . . . . chevaux en Normandie ; . . . . viennent de Camargue.
e. Le directeur a . . . . propositions à vous faire ; . . . . sont très intéressantes.
f. Pierre a . . . . livres très anciens ; . . . . datent du XVIIIe siècle.
g. Les enfants ont . . . . amis étrangers ; . . . . sont africains.
h. Tu as . . . . cassettes originales ; . . . . sont vraiment introuvables.

439 **Complétez au choix par** *chaque, chacun, chacune.*

Exemple : Elles ont fait un exercice de grammaire ***chacune.***

a. Ces stylos plumes coûtent 250 francs . . . .
b. . . . . matin, elle va seule à l'école.
c. L'institutrice corrige le devoir de . . . . élève.
d. Mes enfants ont . . . . un baladeur.
e. Tes filles étudient . . . . dans leur chambre ?
f. Elle a donné des bonbons à . . . . enfant.
g. Ces affiches valent 150 francs . . . .
h. Julie et Cécile ont eu . . . . une mauvaise note.

440 *Chaque, tous, toutes.* Barrez ce qui est inutile.

Exemple : ~~Chaque/Toutes/~~Tous les jeudis tu montes à cheval.

a. Tous/Chaque/Toutes les jours, je prends des cours de danse.
b. Chaque/Tous/Toutes lundi, je vais à la piscine.
c. Tous/Chaque/Toutes les semaines, elle joue au tennis.
d. Chaque/Toutes/Tous jour, je fais un jogging.
e. Toutes/Tous/Chaque les matins, il mange des céréales et boit du lait.
f. Tous/Chaque/Toutes les nuits, ils dorment dix heures minimum.
g. Chaque/Toutes/Tous année, je change de salle de sport.
h. Tous/Toutes/Chaque les deux jours je fais deux kilomètres à la nage.

441 Complétez à l'aide de *tout, toute, tous* ou *toutes.*

Exemple : Le professeur corrige ***toutes*** nos fautes.

a. Ne traduis pas . . . . le texte.
b. Je ne connais pas . . . . ses camarades de lycée.
c. . . . . la classe a cours d'anglais aujourd'hui ?
d. Range . . . . tes livres.
e. Vous ferez . . . . ces exercices à la maison.
f. . . . . ces salles de classe sont libres ?
g. J'ai cours . . . . la journée.
h. . . . . les enfants ont mangé à la cantine.

442 Soulignez les « *tous* » dont le *S* final se prononce.

Exemples : Je prends le bus tous les jours.
Les trains sont <u>tous</u> en retard.

a. Il y a un avion pour les Maldives tous les deux jours.
b. Les avions d'Air France décollent tous de Roissy-Charles-de-Gaulle.
c. Les stewards sont tous très beaux.
d. Tous les Parisiens prennent le métro pour aller travailler.
e. Tous les arrêts sont annoncés dans les autobus.
f. Les billets, je te les ai tous donnés.
g. Je t'ai cherché dans tous les wagons.
h. Les transports parisiens, je les connais tous.

443 *Tous* ou *toutes.* Complétez.

Exemple : Les magazines sont ***tous*** en couleurs.

a. J'ai lu . . . . les gros titres de la presse de ce matin.
b. Ses articles, je les ai . . . . aimés.
c. . . . . les sondages politiques vous intéressent.
d. Les petites annonces de *Libération* sont . . . . originales.

e. Les rubriques Faits divers et Sports, je les ai . . . . lues.
f. Les élections occupent la première page de . . . . les quotidiens.
g. Les journalistes sont . . . . d'accord sur la beauté de ce film.
h. Les revues féminines, je les connais . . . .

444 *Tout* **ou** *tous.* **Rayez ce qui ne convient pas.**

Exemple : Fais attention, elle remarque tout/~~tous~~.

a. J'ai tout/tous compris.
b. Elle vous aime tout/tous.
c. Ne lui dis rien, elle répète tout/tous.
d. Vous venez tout/tous avec nous ?
e. Range tout/tous avant de sortir.
f. Elle mange toujours tout/tous.
g. Ils partent tout/tous dans une heure.
h. Je les accompagne tout/tous à la gare.

445 **Complétez au choix par** *tout, toute, tous, toutes.*

Exemple : Nous passons ***tout*** notre voyage de noces en Sicile.

a. . . . . le monde sait que vous allez vivre en Argentine.
b. Nous déménageons . . . . nos affaires ce week-end.
c. Vos frères et sœurs ont . . . . assisté à votre mariage ?
d. Mes amies sont . . . . venues à la cérémonie.
e. . . . . les invités nous ont offert de beaux cadeaux.
f. Ma belle famille a . . . . organisé : la réception, la musique, l'hébergement.
g. Les mariés ont dansé . . . . la soirée.
h. Les parents ont . . . . payé.

446 **Retrouvez quelques expressions avec** *tout* **ou** *toute.*

Exemple : Il me téléphone à ***tout*** instant.

a. À . . . . à l'heure, Éric !
b. Je le ferai de . . . . cœur.
c. Il est parti à . . . . vitesse.
d. . . . . à coup, il est sorti.
e. Je mange des fruits à . . . . heure.
f. Vous avez . . . . à fait raison.
g. À . . . . de suite, Marc !
h. De . . . . façon, je ne viendrai pas.

447 *Tout, toute, toutes* **employés comme adverbes. Soulignez la forme correcte.**

Exemple : Ils sont venus tout/toute/toutes seuls.

a. Ils étaient tout/toute/toutes émus.
b. Marie est arrivée tout/toute/toutes seule.
c. Mes filles ont la peau tout/toute/toutes grasse.
d. Cécile et Sylvie sont tout/toute/toutes étonnées.
e. J'ai les lèvres tout/toute/toutes sèches.
f. Votre bébé est tout/toute/toutes mignon.
g. Elles sont tout/toute/toutes contentes de venir.
h. Elles étaient tout/toute/toutes énervées.

D. *EN* EXPRIMANT LA QUANTITÉ

448 Répondez positivement ou négativement aux questions.

Exemple : Vous avez de l'appétit ? → ***Oui, j'en ai.***
→ ***Non, je n'en ai pas.***

a. Tu m'achètes des cornichons, s'il te plaît ? → Oui, ...
b. Tu prends du pain en rentrant ? → Non, ...
c. Il faut du temps pour être un bon cuisinier ? → Oui, ...
d. Vous mettez du beurre dans votre soupe ? → Non, ...
e. Tu veux de l'huile d'olive ? → Oui, ...
f. Tu manges des petits pois ? → Non, ...
g. Vous voulez de la moutarde avec votre viande ? → Non, ...
h. Tu as des épices pour faire cette recette ? → Oui, ...

449 Trouver les questions

Exemple : Tu achètes beaucoup de viande ? ← Oui, j'en achète beaucoup.

a. . . . . ← J'en veux un morceau.
b. . . . . ← Un verre, pas plus.
c. . . . . ← Donnez-m'en trois.
d. . . . . ← J'en bois beaucoup.
e. . . . . ← Je n'en mets pas.
f. . . . . ← J'en mange peu.
g. . . . . ← Encore un peu, s'il te plaît.
h. . . . . ← Vous m'en mettez cinq tranches.

Bilan

450 **Trouvez le mot juste. Barrez ce qui ne convient pas.**

La cliente : – *Bonjour madame, je cherche un blouson de cuir.*
La vendeuse : – *Oui. Avez-vous une idée précise ?*
La cliente : – *Non, je n'en/y ai pas vraiment.*
La vendeuse : – *Alors nous avons ici quelques/quelques-uns modèles. Toutes/Tout/Tous ces blousons sont en cuir noir. Ou bien vous avez ceux-là de chacun/différentes couleurs.*
La cliente : – *Oh, mais vous avez très/beaucoup de choix !*
La vendeuse : – *Oui, en effet, les blousons sont très/beaucoup à la mode cet hiver. Vous aimez ce type de coupe ?*
La cliente : – *Non, elle est trop/beaucoup classique.*
La vendeuse : – *Alors, voici un modèle plus sport.*
La cliente : – *Il ne m'a pas l'air assez/peu grand.*
La vendeuse : – *Voici la taille au-dessus.*
La cliente : – *Quels sont les prix de ces blousons ?*
La vendeuse : – *Certains/Quelques-uns sont à 1800 francs, d'autres à 2000 francs. Mais chaque/chacune blouson est très original.*
La cliente : – *Je n'ai pas beaucoup/en l'occasion de porter du/de la/des cuir.*
La vendeuse : – *Pourtant, ça vous va beaucoup/très bien.*
La cliente : – *J'hésite un peu/un peu de entre ces deux-là.*
La vendeuse : – *Chacun/Plusieurs a son charme. Vous pourriez les acheter tous/chaque les deux.*
La cliente : – *Je préfère réfléchir, je repasserai. Il vous y/en reste comment/combien dans ma taille ?*
La vendeuse : – *Nous en/y avons très/plusieurs, vous avez de la/de chance.*
La cliente : – *Bien. Dans ce cas, vous pouvez m'en garder un de chaque/quelques-uns jusqu'à demain ?*
La vendeuse : – *Sans problème. À demain, madame.*

INDEX

Renvoi aux numéros d'exercices

F

I

J

L

M

N

O

P

Q

R-S

T

U-V

Y

N° de projet : 10038434 - (III) - (30) - (OSBTO - 80) — mars 1997
Imprimé en France par Pollina, 85400 Luçon - n° 71511